もくじ

はじめに・この本の見方 …………………………………………………………………… 4

先史時代を知る①	人類史の時間の99％以上を占める、先史時代 …………………	6
先史時代を知る②	人類の歴史を変えた畑づくり＝「農業」の力 …………………	8
BC3000〜BC2001	世界四大文明のはじまり …………………………………………	10
BC2000〜BC1001	古代オリエント世界の3つの勢力 ………………………………	12
BC1000〜BC501	アケメネス朝がオリエントを統一、インドに釈迦が生まれる …	14
BC500〜BC401	アテネが繁栄し、仏教が広まる …………………………………	16
BC400〜BC301	アレクサンドロスが東方遠征、中国は戦国時代へ ……………	18
BC300〜BC201	秦が中国を統一、ローマがイタリア半島を支配 ………………	20
BC200〜紀元	アウグストゥス（オクタヴィアヌス）が初代ローマ皇帝となる …	22
AD1〜100	イエスが処刑される。日本の中の倭の奴国王が金印を受ける …	24
101〜300	ローマ帝国の領域が最大になる、日本では邪馬台国が出現 …	26
301〜400	キリスト教がローマの国教に、ローマ帝国は東西に分裂 ……	28
401〜500	ゲルマン人によって西ローマ帝国が滅ぶ。日本は古墳時代が続く …	30
501〜600	東ローマ帝国が復活する。日本では厩戸皇子（聖徳太子）が摂政に …	32
601〜700	厩戸皇子（聖徳太子）が政治をつかさどる。イスラーム教が生まれる …	34
701〜800	日本の奈良時代、ヨーロッパ・西アジアは激しく変遷 ………	36
801〜900	フランク王国が東・中部・西の3つに分かれる ………………	38
901〜1000	ヨーロッパに神聖ローマ帝国が生まれ、宋が中国を統一 ……	40
1001〜1100	第1回十字軍の遠征が始まり、日本では藤原家が全盛期となる …	42
1101〜1200	平家が滅び、鎌倉幕府が開かれる。十字軍の遠征が続く ……	44
1201〜1300	チンギス・ハーンによるモンゴル帝国が世界を揺るがす ……	46
1301〜1400	英仏間で百年戦争、日本では室町幕府が誕生する ……………	48
1401〜1500	日本は応仁の乱で戦国時代へ。コロンブスがアメリカを発見 …	50
1501〜1550	ルターのプロテスタント（新教）とカトリック（旧教）の争い …	52
1551〜1600	信長、秀吉、家康、日本史上最もドラマチックな50年間 ……	54
1601〜1650	オランダは海を制し、イギリスは議会政治へ。日本は江戸幕府誕生 …	56
1651〜1700	日本は元禄時代。フランスはルイ14世が強大な権力をふるう …	58
1701〜1730	英仏の争いが激しくなる。江戸幕府では享保の改革を行う …	60
1731〜1760	2つの戦争でプロイセンが台頭、英仏の争いもさらに激化 …	62
1761〜1790	アメリカ13州が独立宣言、イギリスでは産業革命 ……………	64
1791〜1810	フランス革命のあと、皇帝ナポレオンがヨーロッパに君臨 …	66
1811〜1830	ヨーロッパはウィーン体制、日本は外国船を打ち払う体制へ …	68
1831〜1850	1848年のヨーロッパ、主役は民衆。日本では「天保の改革」を行う …	70
1851〜1870	アメリカで南北戦争、日本では幕府が倒れ、明治政府が誕生する …	72

年代	内容	ページ
1871〜1885	ベルやエジソンが登場、ビスマルク体制が生まれ、日本は文明開化	74
1886〜1900	ヨーロッパ、アジア、アメリカが線で結ばれたように動きだす	76
1901〜1905	イギリス・ドイツがにらみ合う中、20世紀初の大戦争・日露戦争が起こる	78
1906〜1910	「第1次世界大戦」前夜、世界の強国が動きだす	80
1911〜1915	ついに最初の世界大戦（第1次）が起こる。日本は大正時代へ	82
1916〜1920	ロシア革命とヴェルサイユ体制は、ほぼ同時に起こった	84
1921〜1925	各国がそれぞれに国づくりをするなか、アメリカは「黄金の20年代」	86
1926〜1930	アメリカは「暗黒の木曜日」、中国と日本の関係は過熱状態へ	88
1931〜1935	日本が戦争の道に歩みを進める発端となった満州事変	90
1936〜1940	ヨーロッパで第2次大戦が始まり、日本は日中戦争に突入	92
1941〜1945	太平洋戦争の約4年間、日本は多くを失うことで目覚めることになる	94
1946〜1950	日本は占領下時代、世界はNATO対共産圏の構図となる	96
1951〜1955	米ソ冷戦のなか各国が平和共存へまっしぐら。日本は独立へ	98
1956〜1960	反ソ連の動きが起こり、中東では経済＆民族戦争、日本は安保で揺れる	100
1961〜1970	資本主義も共産主義も世界各国が自国の思惑で揺れ動いた60年代	102
1971〜1975	ドル・ショックが世界を走り、日本では沖縄返還と日中国交正常化	104
1976〜1980	偶然！ホメイニ師によるイランとフセイン大統領のイラクは同じ年に誕生	106
1981〜1985	南米で短期決戦の戦争が2つ、旅客機の事件・事故が続く	108
1986〜1990	東欧で共産党政権が相次ぎ崩壊し、日本では昭和天皇が崩御	110
1991〜1995	湾岸戦争の衝撃のなかソ連が消滅しロシア周辺の地図が塗り替えられる	112
1996〜2000	国民国家の中の多様な民族や文化の混在が複雑な紛争につながる	114
2001〜2005	アメリカでテロが起こり、イラク戦争へ。「世界平和」の四文字は遠い	116
2006〜2011	世界的金融危機やアラブの市民革命、日本では東日本大震災が発生	118
2012〜2013	欧州に債務危機が深まり、日本では東京五輪の開催が決定	120
2014〜2015	世界各地でテロが多発、日本では北陸新幹線が開業	122
2016〜2017	アメリカで新大統領が就任し、日本では熊本地震が発生	124
2018	史上初の米朝首脳会談、日本は森友学園問題が起こる	126
2019	香港で100万人規模のデモが激化、日本の新元号は「令和」に	128
2020	世界中に新型コロナウイルスが感染拡大、日本は初の緊急事態宣言	130
2021	新型コロナは「オミクロン株」へ変異、日本は1年遅れで五輪開催	132
2022	ロシアがウクライナに侵攻開始、日本は安倍元首相銃撃事件が起こる	134
2023	トルコ、シリアでM7.8の地震、日本は侍ジャパンが野球世界一に	136

さくいん……138

はじめに

　世界史といえば、"外国の歴史"というイメージがあります。しかし、世界史は決して「よその国の話」だけで終わるものではなく、実は日本とも意外な形で結び付いていたりします。

　もちろん日本との関係だけでなく、世界史を概観してみると、単に一つの地域、一つの国の歴史を追っているようでも、ほかの地域や国々の出来事と深く関わっていたり、過去と現在が密接につながっていたりするのがよく分かります。

　歴史とは「点」ではなく、「線」なのです。

　本書の制作にあたっては、そのような日本と世界の歴史の大きな流れを把握していただこうと、できるだけ分かりやすく読みやすい構成を目指しました。豊富なイラストや写真で、より理解が深まるかと思います。

　本書を通じて、日本、そして世界の歴史を「線」でとらえ、歴史を学ぶのではなく、歴史から学ぶ面白さを感じ取っていただければ幸いです。

　ひとりでも多くの方が、歴史を楽しんでくださいますように。

※本書は2019年発行の『楽しく学ぼう！日本と世界の歴史年表 改訂新版』の内容に加筆・修正を行った増補改訂版です。

この本の見方

その地域に関係した項目や写真の説明には、その地域の色をバックに敷いています。また地域のまたがる歴史は基本的に同じ色になっています。

このマークがついていると下に資料や説明があります。

この表記は、戦争等であれば終了年、建国や就任等であれば、その消滅や任期満了の年を表示しています。

歴史のおもしろいところや、考えてほしいことを書いています。

わかりづらい言葉や大切なことを解説しています。

物事が起こった地域

キリスト教がローマの国教に、ローマ帝国

		ギリシア・ローマ・ヨーロッパ		オリエント、西アジア
301	313	キリスト教の信仰が公認される（ミラノ勅令）	309	ササン朝ペルシア、シャープール2世即位、ゾロアスター教が隆盛に
350	325	コンスタンティヌス帝がニケーア公会議でアタナシウス派を正統教義とする🔵		
	375	ゲルマン民族大移動のキッカケとなる、フン族が東ゴートを襲う（〜000）		

▲沈黙の塔〈ゾロアスター教の葬儀、鳥葬が行われる場所〉

▲ジョルジュ・ロシュグロス作、フン族による略奪［1910年］

| | 392 | キリスト教がローマの国教となる |
| 400 | 395 | ローマ帝国が完全に東西に分裂する |

注目しよう！
ヨーロッパの世界が「石」の文化であるとすれば、日本は「土と木」の文化であったと言えます。高く積み上げることが可能な石に対し、古墳はあまりにも全長がありすぎて、その上に立つことはできても全体を肉眼で見ることはできません。

コンスタンティヌス帝の凱旋門
イタリアのローマにある凱旋門（戦勝の記念碑）。コンスタンティヌス帝が312年のミルヴィオ橋の戦いで勝利した記念として315年に建てられました。高さ約21m、幅約25m、奥行き約7.4m、ローマにある凱旋門では最大の大きさ。フランスの名高い「凱旋門」・エトワールもこの凱旋門がモデルになっています。

ワンポイント解説　アタナシウス派
キリストを神と同一視するもので、キリストを人間であるとする「アリウス派」は異端とされました。アタナシウス派の説はのちに三位一体説（父なる神、子なるキリストおよび聖霊は三つでありながら、しかも同一である）として確立されます。

※本書は2012年発行の「小学生のための　まるわかり日本&世界　歴史年表」を元に、2016年、2019年、2023年に加筆・修正を行っています。その事の起きた年号が、歴史的な判断や各種の説などによって異なっているケースもございます。また人名の一部には呼び名が統一されていない場合がありますのでご了承ください。

使われている写真は、世界遺産を中心に、多くの協力をえて掲載しています。
写真提供元／共同通信社、ロイター＝共同、新華社＝共同、奈良県立橿原考古学研究所附属博物館、青森県教育庁文化財保護課、福岡市博物館、高知市観光協会、堺市博物館、佐賀県教育庁文化課、和歌山県文化遺産課、京都市御霊神社社務所、宇治市平等院、白井篤　（敬称略・順不同）

先史時代を知る① ……… 人類史の

先史時代とは文字がなく、記録が残っていない時代のことをいいます。人類は、猿人・原人・旧人・新人の順に進化しました。直立二足歩行を特徴とする人類が誕生したのは、約450万〜400万年前と言われています。約150万〜20万年前になるとジャワ原人や北京原人が出現します。石を割って作った打製石器を使い、採集や狩猟を行い、河岸や洞窟に住んでいたとみられています。この間だけでも300万年以上という、とても長い年月が流れています。

人類の進化

猿人から現代人までを比較したものです。現代人に近づくにつれ目の上の隆起が次第に低くなっており、それに合わせるように脳容積が大きくなっています。また、アゴの先端が前に突き出るようなカタチになっています。

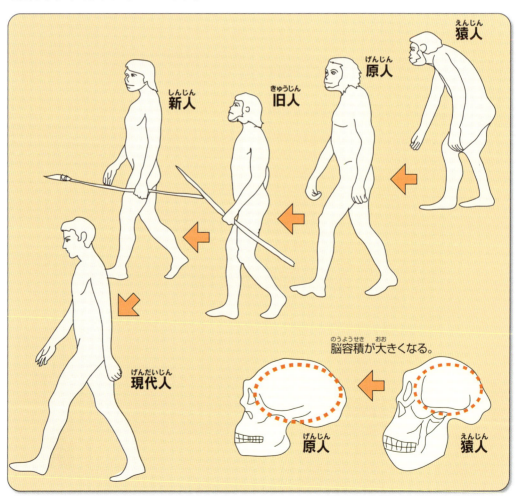

時間の99％以上を占める、先史時代

北京原人の里、周口店遺跡の改修工事の様子

周口店では、北京原人だけではなく上洞人の化石も発見されています。これはヨーロッパのクロマニョン人と同時期の人類で、東アジアで最初に発見された現生人類でした。

北京原人の復元予想像

北京原人（ホモ・エレクトス・ペキネンシス）の化石は、中国の北京郊外の周口店で1927年に発見されています。

ルーシーとイブ!?

写真はエチオピアで発掘された約340万年前の猿人の下あご（複製）です。これは1979年に東アフリカで発見された人の祖先のひとつ「アファール猿人」の「ルーシー」（約400万年前の化石人骨とされている）の一族ではないかと見られています。またハワイ大学のR・キャンは、人類のDNAを取り出して調べた結果、20万年前にアフリカにいた一人の女性（イブと命名）がすべての現代人の共通の祖先であるという新たな説を1987年に発表しています。さらにチャドでは、現在発見されている最古の猿人「サヘラントロプス・チャデンシス」（トゥーマイ猿人）の化石が発見されています。

写真提供／共同通信社（3点全て）

先史時代を知る② ……………人類の

ジャワ原人や北京原人のあと、約20万年前に旧人が出現しました。ヨーロッパのネアンデルタール人はその代表とされており、今の人類と同じ脳の大きさをしていました。そして10万年ほど前に現れた人類は、新人といい、私たち現代人と同じ人類です。ヨーロッパのクロマニョン人や周口店上洞人がこれにあたります。新人は骨や角で作った骨角器を使って、生活をより豊かにしました。人類が石を割った打製石器を使い、狩りをしたり果物や木の実を採集していた時代を旧石器時代と呼んでいます。約1万年前に氷河期が終わり、暖かくなって乾燥した気候になると、狩りや採集生活だけでは生活できない所もでてきました。さまざまな環境の中で生きるために新人は周囲に生える野生のムギ、アワなどの特定の作物を栽培したり、動物を飼う牧畜をするなど食べ物を自分たちで作り増やして生活するようになりました。そのため、植物の繊維を切る鋭い道具が必要になり、石を研いだり磨いたりして刃を鋭くした磨製石器が登場し、土器も作られました。ここからの時代を新石器時代と呼びます。

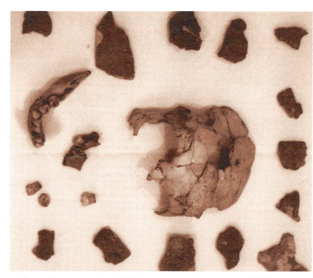

ネアンデルタール人の頭骨や歯

ネアンデルタール人の化石は、1856年にドイツのデュッセルドルフのネアンデル谷にあった洞窟から発見されています。それ以前にも発見されているようですが、これが事実上の第一発見となっています。
今の人類と顔のつくりや骨格は多少違いますが、もしネアンデルタール人を遠くから見た場合、あまり変わらない外見をしていたと考えられています。
ネアンデルタール人は2万数千年前に絶滅しますが、その原因はよくわかっていません。

7千年前の絵文字？

右の写真は中国安徽省の新石器時代の遺跡から発見された、動物とみられる絵。

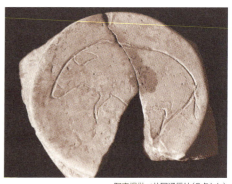

写真提供／共同通信社（2点とも）

歴史を変えた畑づくり＝「農業」の力

人類の移動経路

人類の祖先のひとつ「ラミダス猿人」はアフリカのエチオピアで発見されました。今の人類はアフリカからヨーロッパ、アジアを通り、北アメリカ大陸から南アメリカ大陸まで渡っていったと考えられています。

小麦の歴史

日本人の主食は「稲」＝お米ですが、小麦を使った食品はとてもたくさんあります。小麦は、大別して「パン用の硬質小麦」「菓子用の軟質小麦」「麺類に使われる中間質小麦」「パスタの材料となるデュラム小麦」に分けられます。こうして並べてみると、お米を食べない日はあっても小麦を使った食品を食べない日はないかもしれません。この小麦、最も原始的なヒトツブコムギの栽培は1万5千年前から始まったとされています。イスラエルでは8500年前のものと推定される小麦の栽培跡が見つかっています。パン小麦が生まれたのは6000～7000年ほど前、5000年前にはヨーロッパやアフリカに伝えられています。デュラム小麦の栽培も3000年前には始まっています。小麦は粉にしてから使いますので、素材の形を残さないものを「加工食品」と考えるならば、小麦粉は人類最初の加工食品とも言えます。

世界四大文明のはじまり

	ヨーロッパ		オリエント、西アジア	
BC3000			BC3000頃	シュメール人、都市文明を築く（メソポタミア文明）⬇
	BC2500〜	新石器時代に入る ストーンヘンジ造営 ⬇	BC3000頃	エジプトに統一国家 ピラミッド造営 ⬇（エジプト文明） ※BC4000頃という説もあります。
BC2001				

天文台か儀式の場か、謎の多いストーンヘンジは紀元前2500年から紀元前2000年の間に建てられ、それを囲む堀などは紀元前3100年頃につくられたという説もあります。

▲ストーンヘンジ

※古代文明は発掘調査や研究が進み、4大文明の他にいくつもの古代文明が存在していたことがわかってきています。

四大文明マップ

四大文明とは、西から「エジプト文明」「メソポタミア文明」「インダス文明」「黄河文明」をさします。エジプト文明とメソポタミア文明をあわせて「オリエント文明」と呼んでいます。

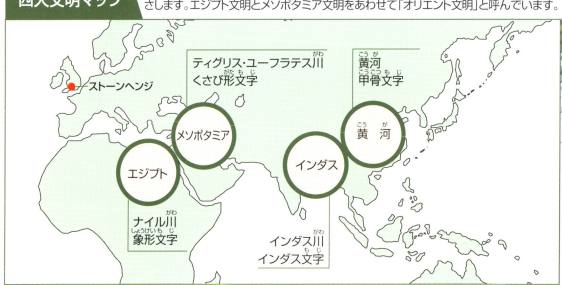

BC3000〜BC2001

南・北・東アジア		日本（縄文時代）	
BC5000〜BC4000頃	黄河文明 ⬇	BC3000〜BC2000頃	中期（縄文時代）⬇
BC2300頃	インダス文明 ⬇		

▲インダス文明の代表的な遺跡、モヘンジョダロ

縄文時代早期の円筒式の縄文式土器
写真提供／青森県教育庁文化財保護課

BC3000

BC2001

💡**注目しよう！**
新しい遺跡などの発見で時代の姿がどんどん変わります！

▲三内丸山遺跡では大型住居は十数棟見つかっています。写真の高床建物3棟の復元をはじめ、床面積約250m²の住居も復元されています。

縄文時代はBC11000〜8001年の早期-1、BC8000〜4001年の早期-2、BC4000〜3001年の前期、BC3000〜2001年の中期、BC2000〜1001年の後期、BC1000年から晩期と弥生時代が重なるという区分の仕方もあります。これまで、縄文時代の人は植物採集や狩猟で移動しながら暮らしていたとされていましたが、青森の三内丸山遺跡の調査で定住生活をしていたこともわかってきています。

写真提供／青森県教育庁文化財保護課

▲ピラミッド
ギザの3大ピラミッド。左からメンカウラー王、カフラー王、クフ王のピラミッド。最も大きいクフ王のピラミッドは高さ139m。1889年にエッフェル塔が完成するまで世界で最も高い建物でした。

▲スフィンクス
ライオンの体、人間の女性の顔、鷲の翼を持ったスフィンクス。

古代オリエント世界の3つの勢力

	ヨーロッパ		オリエント、西アジア
BC2000	BC2000頃　クレタ文明起こる	BC1894頃	バビロン第一王朝が成立（〜BC1595頃）ハンムラビ王（6代目）がメソポタミア全土を統一。ハンムラビ法典を定める
	BC1600頃　ギリシア人がミケーネ文明を築く（〜BC1400頃）		
		BC1650頃	小アジアにヒッタイト王国、建国
			フェニキア人が都市国家をつくるアルファベットの起源をつくる
		BC1279頃	ラムセス2世が王位につく（〜BC1213頃）
BC1001			

▲ハンムラビ法典

注目しよう！
ラムセス2世の自分を主張する欲の強さを想像してみましょう！

ナイル川の中流にある、ルクソール神殿。神殿の入口に一対の第19王朝ラムセス2世の坐像があります。ここはアメンヘテプ3世とラムセス2世が最高神アメン・ラー神に捧げるために建造したものです。

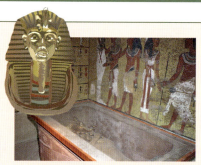

第18王朝12代目のツタンカーメンの墓の内部です。古代エジプトが輝いていた新王国時代（BC1567〜1085年頃）は、第18・19・20王朝時代です。

アメリカ
パレンケ遺跡

メキシコの古代遺跡の中心をなす「古代マヤ文明」のはじまりはBC1500年頃といわれています。写真は「マヤの秘宝」とも呼ばれるパレンケ遺跡です。

BC2000～BC1001

南・北・東アジア	日本	
	後期(縄文時代)	縄文時代 BC2000

BC1600頃　中国最古の王朝、殷王朝（～BC1046頃）甲骨文字を使う

▲甲骨文字
写真提供／Kowloonese

BC1046頃　周（～BC256頃）の封建体制起こる

アーリヤ人、ガンジス川流域に進出する

縄文時代前期の円筒式土器。バケツを細長くしたような形で、複雑な縄目の模様がつけられています。
写真提供／青森県教育庁文化財保護課

BC1001

古代オリエント世界

バビロン第一王朝、ヒッタイト王国、エジプト新王国の3つの勢力が主にオリエント(現在の「中東」と呼ばれる地域)を支配していました。

凡例：
- バビロン第1王朝の領域
- ヒッタイトの最大領域
- エジプト新王国時代の最大領域

アケメネス朝がオリエントを統一、インドに

	ヨーロッパ		オリエント、西アジア
BC1000	ギリシアでポリスが誕生する ⬇		人頭有翼牡牛像▶ 宮殿などを守っていたといい、アッシリアを象徴する姿
	ギリシアの都市国家群（ポリス）は、紀元前800年頃には現在のギリシャ西南部、クレタ島を含むエーゲ海の島々などに広がっていました。	BC722	イスラエル、アッシリアに滅ぼされる
BC700			
		BC663	アッシリアのオリエント統一
BC594	ソロンが貴族と平民の調停者として改革を行う（ギリシア）	BC612	アッシリア滅亡、4国に分裂する ⬇
		BC550	アケメネス朝、建国される（イラン）
BC508	僭主と呼ばれる独裁者が僭主政治を行うが、崩壊後はクレイステネスが10部族制の大改革を行う（ギリシア）	BC525	アケメネス朝、オリエント統一
	▲ギリシア七賢人の一人ソロン		
BC501			

▲王座に腰かける大キュロス

注目しよう！
イランのテヘランから飛行機で約1時間半、シーラーズという都市の近くにあるペルセポリス。2500年前の都市の遺跡が残されています。

ペルセポリス

ペルセポリスは、アケメネス朝の都の一つで宮殿の跡が残されています。第3代ダレイオス1世以来、3世代をかけて完成されたと言われています。

▲ペルセポリス　写真提供／GerardM

釈迦が生まれる… BC1000〜BC501

南・北・東アジア

BC770頃　周が都を東方の洛邑に移す
分裂と抗争の春秋時代
（〜BC403）（中国）

BC566頃　釈迦（ゴータマ・シッダルタ）
誕生。悟りを開き、
仏教を興す（インド）

▲釈迦像

BC551頃　孔子誕生（〜BC479）（中国）

◀中国山東省南部にある、孔子の墓

日本

前期（弥生時代）

▲弥生時代中期の妻木晩田遺跡

弥生時代

BC1000

BC700

▲孔子

BC501

ポリス

ポリスとは、いくつかの集落が連合し、アクロポリス（小高い場所）を中心に人々が集まり住んで建てた都市のことです。

アテネが繁栄し、仏教が広まる

	ヨーロッパ	オリエント、西アジア
BC500		
	BC500 ペルシア戦争開始（〜449） ペルシア帝国が3度にわたり、遠征軍をバルカン半島に派遣 マラトンの戦い（BC490 ギリシア） アテネがペルシア軍を撃破 サラミスの海戦（BC480 ギリシア）	
	BC478 アテネでデロス同盟が成立	
BC450	BC450頃 ローマ帝国が十二表法を制定（イタリア）	
	BC443 アテネ繁栄・ペリクレス時代（ギリシア）（〜BC429）	
BC401	BC431 ペロポネソス戦争（〜BC404）	

▲大ペリクレス
[前495?〜前429年]

注目しよう！
世界三大宗教（仏教、キリスト教、イスラム教）のひとつ、仏教。仏教に限らず、歴史における宗教の役割の大きさを考えてみましょう。現在も宗派などの違いによる争いが起きています。

◀パルテノン神殿
エレクテイオン神殿▶

アテネのアクロポリス神域には、BC432年頃パルテノン神殿が建築されたあとも、エレクテイオン神殿やアテネ・ニケ神殿などが建設されています。
なかでも均整のとれた大理石造りのパルテノン神殿は世界遺産にも登録されています。

BC500〜BC401

インド・東南アジア	北・東アジア	日本	弥生時代	
BC486頃 釈迦が亡くなる	有力な諸侯が争う春秋時代が続く(中国)	前期(弥生時代)		BC500
				BC450
マガダ国・コーサラ国が繁栄する(インド)	BC403 晋が3国に分裂し戦国時代に入る(BC221 秦の始皇帝が全土を統一するまで)(中国)			
	▲戦国時代の青銅戈	▲弥生時代前期の土器		
	大足石刻 中国重慶市大足県にある、釈迦の涅槃像。なお涅槃像はいろいろな国にあります。	▲復元された弥生時代後期の物見櫓 写真提供／佐賀県教育委員会		BC401

ペルシア戦争

アテネはBC480年のサラミス沖の海戦でペルシアの大軍を再び大敗させたあと、翌年のプラタイアの戦いでギリシア側の勝利を決定的にしました。

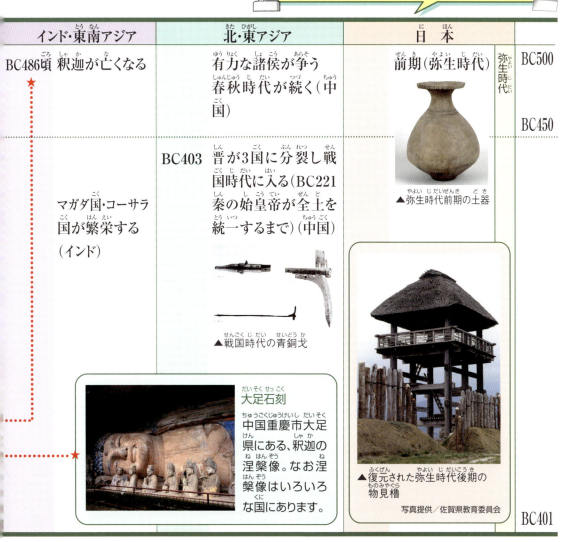

ペルシア軍進路
- 第1回 (BC492)
- 第2回 (BC490)
- 第3回 (BC480)

- ギリシアの対ペルシア連合
- ギリシアの中立地帯
- ペルシア領及び勢力圏

アレクサンドロスが東方遠征、中国は戦国

		ヨーロッパ	オリエント、西アジア
BC400	BC367	ローマでリキニウス＝セクスティウス法が制定される（イタリア）	
	BC359	マケドニアのフィリッポス2世（〜336）が軍事力を強める	
BC350			
	BC338	カイロネイアの戦い	
	BC334	アレクサンドロスの東方遠征 ★	
	BC323	アレクサンドロスが32歳で急死、その後プトレマイオス朝（エジプト）、アンティゴノス朝（マケドニア・ギリシア）、セレウコス朝（シリア・西アジア）などに分裂	BC330 アケメネス朝（ペルシア帝国）が滅亡する
BC301			

注目しよう！
アレクサンドロスの東方遠征によってギリシャとオリエントの東西文明が融合されて「ヘレニズム文化」が生まれました。このとき「西も東も人間は同質である」という大発見がありました。

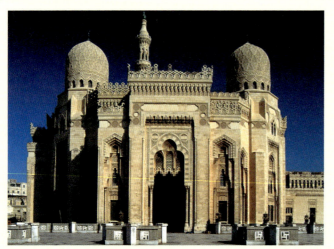

アレクサンドリアのモスク
「アレクサンドロスの町」を意味するアレクサンドリア。現在はカイロに次ぐエジプト第2の都市として、ギリシア風の都市の第1号でもあります。

アリストテレス
ギリシア文化も栄え、文学はホメロスやヘシオドスの叙事詩から始まりました。また哲学者ソクラテスが真理の絶対性を説き、プラトンや弟子となるアリストテレスも活躍しました。

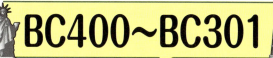

時代へ……… BC400〜BC301

インド・東南アジア	北・東アジア	日本		
	燕、斉、楚、韓、魏、趙、秦の戦国時代（中国）	中期（弥生時代）	弥生時代	BC400
				BC350
アレクサンドロスの帝国とインダス川を境に支配を分けた。 BC317 インド・マウリヤ朝が成立		▲弥生時代の石斧の複製 写真提供／©竹中大工道具館 ▲吉野ヶ里遺跡から出土した弥生式土器 写真提供／佐賀県教育委員会		BC301

アレクサンドロス帝国とヘレニズム時代の3王国

秦が中国を統一、ローマがイタリア半島を

	ヨーロッパ	オリエント、西アジア
BC300	BC272 ローマ、全イタリア半島を支配する	
	BC264 第1次ポエニ戦争（～BC241）ローマがカルタゴの勢力と衝突	ペルガモン王国（現トルコ）／パルティア王国（現イラン）／バクトリア王国（現アフガニスタン）
BC250		
	BC218 第2次ポエニ戦争〈ハンニバル戦争〉（～BC201） 北アフリカ・カルタゴの将軍・ハンニバルがイタリアに侵入 ▲ハンニバル像	BC250頃 パルティア王国とバクトリア王国が建国される（イラン・アフガニスタン・タジキスタン）
		BC241 ペルガモン王国が建国（トルコ）
BC201		

万里の長城
地を這う龍にたとえられる、山頂に築かれた長城

現存する万里の長城は長さ約3000kmで、ほとんど明代（1368～1644年）につくられたものですが、未改修の場所も点在しています。

八達嶺にある万里の長城、通称「女坂」と呼ばれています。

秦の始皇帝陵・兵馬俑
陵の東1.5kmで発見された地下坑から、目を見張る数の兵士や軍馬・戦車が1974年に発見されています。当時の軍の陣形や民族構成まで見て取れる、素焼きの軍団（兵馬俑）は、それぞれ形も異なり、表情も豊かで芸術面でも評価されています。

支配 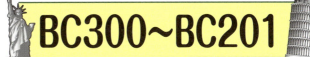 BC300〜BC201

インド・東南アジア	北・東アジア	日本	
BC268頃 マウリヤ朝・アショーカ王が即位。仏典の編纂や布教を行う(インド)		中期(弥生時代)	弥生時代 BC300
	始皇帝 ▶		BC250
	BC221 「七雄」の一つ 秦が中国を統一	**秦の始皇帝** 秦は東方の6国を次々と征服し、BC221年に中国を統一。王は自ら「光かがやく神」の意味を持つ「皇帝」の称号を採用し、「始皇帝」として君臨しました。始皇帝は全土を郡・県に分けて、郡県制を施行しました。皇帝による中央集権化は6国の地域の反感を高めました。	
BC232頃 アショーカ王の死後、マウリヤ朝衰退	BC206 わずか15年で ★ 秦は崩壊		
注目しよう! 秦の始皇帝がなぜこれほどの遺産を残せたのか考えてみましょう!	BC202 漢(前漢)が建国される(〜AD8まで)		BC201

この中で、西方の秦は有能な人材を集めて、急速に勢力を伸ばしました。

戦国時代の中国(BC4世紀末) ○ 戦国の七雄

アウグストゥス（オクタヴィアヌス）が初代

	ヨーロッパ	オリエント、西アジア、アフリカ
BC200	BC149　第3次ポエニ戦争（～BC146）（イタリア）	
	BC146　カルタゴ滅亡（チュニジア）	
	BC133　ローマ・グラックス兄弟の改革（～BC121）大土地所有者の土地を没収し、無産市民に分配しようとしたが、兄は殺され、弟は自殺（イタリア）	
BC100		
	BC60　第1回三頭政治が始まる（イタリア）	
	BC43　アントニウス、レピドゥス、オクタヴィアヌスによる、第2回三頭政治が始まる（イタリア）	BC30　エジプトの女王クレオパトラと結んだアントニウスが破れ、プトレマイオス朝が亡びる（エジプト）
	BC27　アウグストゥス（尊厳者）の称号を持った、オクタヴィアヌスが初代ローマ皇帝となる	
紀元		

▲BC48年クレオパトラは自らをじゅうたんにくるませ、カエサルのもとへ贈り物として届けさせた

▲プトレマイオス13世

フォロ・ロマーノ
古代ローマでは、都市の政治・宗教の中心としてフォルムと呼ばれる広場が置かれていました。この約2500年前の建築物の遺跡がフォロ・ロマーノです。
フォロ・ロマーノは約2500年前から約800年の間、使われていました。

ローマ皇帝となる　BC200～紀元

インド・東南アジア	北・東アジア	日本	
	BC154 呉楚七国の乱、周亜夫がこれを平定（中国）	中期（弥生時代）⬇	弥生時代 BC200
BC140頃 大月氏国興る（アフガニスタン）	BC141 武帝が即位する（中国） ▶武帝	▲弥生時代中期の石皿とすり石 写真提供／佐賀県教育委員会	
BC70頃 大月氏、アム川南方に領域を拡大（アフガニスタン）	BC111 南越などを征して南海9郡を置く（中国・ベトナム）		BC100

西欧は石、日本は木を使って建築物をつくりました。日本の弥生時代も西欧に劣らず優れていたことがわかります。

▲弥生時代の生活土器
写真提供／佐賀県教育委員会

紀元

弥生時代

弥生時代は研究の成果によって大幅に繰り上げるべきだという説があります。それによりますと早期がBC1000年から、前期がBC800年から、中期がBC400年から、後期がAD50年からとなります。弥生時代の人々は水田を作り、多くの場合竪穴住居に住み、倉庫として掘立柱建物や貯蔵穴を作りました。弥生時代の貴重な遺跡などが発掘されている、佐賀県吉野ヶ里遺跡は、弥生時代前期には3ha、中期には推定20ha、後期には40haを超す大規模な環濠集落へ発展したことが判明しています。

写真提供／佐賀県教育委員会

イエスが処刑される。日本の中の倭の奴国

	ギリシア・ローマ・ヨーロッパ		オリエント、西アジア
AD1	ゲルマン民族がローマ領にしばしば侵入する	37	パルティア王アルタパヌス2世、ローマと和してアルメニアを放棄する
	30頃 イェルサレムのゴルゴダの丘で、イエスが処刑される		
50			
	64 暴君ネロがキリスト教徒を迫害する（イタリア）		
	79 ベスビオ火山の噴火（ポンペイの埋没／イタリア）		
	96 ローマ五賢帝時代が始まる（〜180）	70	ローマ軍によるイェルサレムの破壊
100			

注目しよう！
BCは日本語で紀元前、英語の「Before Christ」（ビフォア・クライスト）キリスト以前の略です。ところがADはラテン語で「Anno Domini」（アンノ・ドミニ）の頭文字を取っています。英語でこれに対応するのは、In the Year of the Lord、日本語で「主の年において」という意味になります。

コロッセオ

古代ローマで80年から使用されていた「円形闘技場」です。長径188m、短径156m、高さ48mの楕円形で45,000人を収容できたという。中では剣奴＝剣闘士を闘わせる見世物などが行われていました。

イエスの肖像画

キリスト教とは、1世紀初頭のパレスチナで「神の国の到来」を宣べ伝えた結果、ローマ帝国が政治犯に行う極刑（十字架刑）で抹殺されたユダヤ人、ナザレのイエス（BC4年以前〜AD30年頃）を救世主（メシア、キリスト、神の子）として仰ぎ、彼の行動と教えを中心に神の愛と罪の赦しを説く宗教です。

王が金印を受ける AD1～100

インド・東南アジア

- 40　ベトナムでチュン姉妹が後漢に対して反乱を起こす
- 45　クシャーナ朝が興る（インド）

- 100頃　ガンダーラ美術起こる

▲仏頭[2世紀]

北・東アジア

- 8　王莽（～23）自ら「新皇帝」と称す
- 25　劉秀（光武帝）が後漢を興す（～220）

▲光武帝

- 97　後漢、甘英をローマ帝国に派遣する

日本

後期（弥生時代）

日本の古代史は金印や古墳の発見が進むものの、統一の見解をつくれないというのが現状です。

倭の奴国王が後漢の皇帝から金印を授かる⬇

▲金印のレプリカ
（福岡市博多駅前）
写真提供／くーさん

弥生時代　AD1 / 50 / 100

金印

「漢委奴国王」と彫ってある金印は、重さが109gあります。

福岡市博物館所蔵

ローマ帝国の領域が最大になる、日本では

		ギリシア・ローマ・ヨーロッパ	オリエント、西アジア
101	98	トラヤヌス帝（～117）の時期にローマ帝国の領域は、東はカスピ海西岸から西は大西洋沿岸におよび最大になる ★	
		◀トラヤヌスのフォルム 写真提供／Marukus Bernet	
			226　ササン朝ペルシアが興る（イラク）
200	161	哲学者の皇帝、マルクス＝アウレリウス＝アントニヌス（～180）が即位する	
	235	軍人が皇帝になる「軍人皇帝時代」（～284）となる	
300	293	ディオクレティアヌス帝（在位284～305）による、帝国四分統治策が始まる	

注目しよう！
トラヤヌス帝を入れた五人の皇帝が支配した、この時代のローマ帝国は「ローマの平和＝パックス・ロマーナ」と呼ばれています。パリ、ロンドン、ウィーンなどの都市もこの時期に建設されています。

トラヤヌス帝時代のローマ帝国最大領域と変遷

北はスコットランド国境、南はアフリカ北部沿岸まで支配しました。

凡例：
- 紀元前133年
- 紀元前44年
- 14年
- 117年（最大）

邪馬台国が出現 …… 101～300

インド・東南アジア	北・東アジア	日本		
		後期（弥生時代）	弥生時代	101
		▲三角縁神獣鏡のレプリカ〔岐阜県各務原市、埋蔵文化財調査センター。一輪山古墳出土〕		
◀カニシカ1世の金貨				
130頃 クシャーナ朝・カニシカ王が即位する				200
	▲劉備、関羽、張飛			
240頃 クシャーナ朝がササン朝ペルシアに服属する⬇	220 後漢が滅び、魏・呉・蜀の3国が分立する			
		239 邪馬台国の卑弥呼が魏に使者を送る		
	265 魏が滅び、晋が建国される			
	280 呉が滅び、晋が中国を統一する（～316）	いまだにどこにあったのかも解明されていない邪馬台国。日本の古代は謎だらけです。		
▲ナグシェ・ロスタム遺跡 左がササン朝ペルシアのアルデシール1世				300

ササン朝ペルシア（226～651年）

イラン高原・メソポタミアなどを支配した王朝・帝国。首都はクテシフォン（現在はイラク領）。ゾロアスター教を国教とし、アケメネス朝ペルシアの復興を目標としました。

■ササン朝ペルシアの領域

卑弥呼時代の遺跡・中海道の建物跡

「九州か近畿か？ 邪馬台国はどこにあったのか？」という論争があり、いまだに解明されていません。そんな中で1995年、京都府向日市にある中海道遺跡で発掘された「祭殿」は東西8m、南北8.5m、溝から発見された土器は3世紀中頃の卑弥呼時代のものと判定されています。邪馬台国に関連した遺跡や論評は数多くありますが、邪馬台国の所在地を決定づけるものはないようです。

中海道遺跡から出土したものから時代を測定すると、弥生時代の後半を中心とする昔の集落だったと考えられています。今から1万年以上も昔の人々の道具も見つかっており、当時の生活を推測する貴重な遺跡です。この付近は古墳（古いお墓）も数多く点在しており、身分の高い人か、たくさんの人の手で埋葬するにふさわしい人がこの付近に多くいたと言うこともできます。

キリスト教がローマの国教に、ローマ帝国

		ギリシア・ローマ・ヨーロッパ		オリエント、西アジア
301	313	キリスト教の信仰が公認される（ミラノ勅令）	309	ササン朝ペルシア、シャープール2世即位、ゾロアスター教が隆盛に
	325	コンスタンティヌス帝がニケーア公会議でアタナシウス派を正統教義とする		
350				
	375	ゲルマン民族大移動のキッカケとなる、フン族が東ゴートを襲う		
	392	キリスト教がローマの国教となる		
400	395	ローマ帝国が完全に東西に分裂する		

▲沈黙の塔〈ゾロアスター教の葬儀、鳥葬が行われる場所〉

▲ジョルジュ・ロシュグロス作、フン族による略奪[1910年]

注目しよう！

ヨーロッパの世界が「石」の文化であるとすれば、日本は「土と木」の文化であったと言えます。高く積み上げることが可能な石に対し、古墳はあまりにも全長がありすぎて、その上に立つことはできても全体を肉眼で見ることはできません。

コンスタンティヌス帝の凱旋門

イタリアのローマにある凱旋門（戦勝の記念碑）。コンスタンティヌス帝が312年のミルヴィオ橋の戦いで勝利した記念として315年に建てられました。高さ約21m、幅約25m、奥行き約7.4m、ローマにある凱旋門では最大の大きさ。フランスの名高い「凱旋門」・エトワールもこの凱旋門がモデルになっています。

ワンポイント解説

アタナシウス派

キリストを神と同一視するもので、キリストを人間であるとする「アリウス派」は異端とされました。アタナシウス派の説はのちに三位一体説（父なる神、子なるキリストおよび聖霊は三つでありながら、しかも同一である）として確立されます。

は東西に分裂 …… 301〜400

インド・東南アジア	北・東アジア	日 本	
	304 五胡十六国時代（〜439）	古墳の出土品、勾玉 写真提供／奈良県立橿原考古学研究所附属博物館 群馬県太田市で出土した武人の埴輪▲〔東京国立博物館所蔵〕	301 古墳時代（約4世紀〜7世紀） 350
320頃 マガダ地方にグプタ朝が成立する（インド）	317 東晋が建国される		
マガダ地方＝現ビハール州	346 朝鮮に百済興る		
	356 朝鮮に新羅興る	日本の主な古墳の分布 奈良県桜井市 箸墓古墳・大和古墳群 岡山県岡山市 神宮寺山古墳・造山古墳 山梨県甲府市 銚子塚古墳 奈良県天理市 柳本古墳群 奈良県明日香村 石舞台古墳・高松塚古墳・キトラ古墳 大阪府堺市 上石津ミサンザイ古墳 大阪府羽曳野市 誉田御廟山古墳 大阪府太子町 山田高塚古墳	
376頃 チャンドラグプタ2世が即位する（〜414頃）（インド）	366 敦煌千仏洞の開掘 ▲敦煌の千仏洞		400

大仙陵古墳（仁徳天皇陵古墳）

古墳時代（約4世紀〜7世紀）には、日本の各地に多くの古墳が造られています。古墳は豪族や大王によって造られた、土を盛り上げた墓です。古墳の中でも大阪府堺市にある大仙陵古墳は、仁徳天皇の墓として伝えられています。大仙陵古墳は前方後円墳で全長は480mもあります。なお、天皇という呼び方は飛鳥時代から後に使われたものです。

写真提供／堺市博物館

ゲルマン人によって西ローマ帝国が滅ぶ。日本に

		ギリシア・ローマ・ヨーロッパ	オリエント、西アジア
401	415	西ゴート王国興る（〜711）	
		西ゴート王国は、現在のフランス南部からスペインにあたる地域を支配しました。451年にはパリの東で起きたカタラウヌムの戦いに参加、フン族を撃退しました。	450 エフタルがササン朝ペルシアを攻撃する
450			
	451	カタラウヌムの戦い（フランス）	
		◀カタラウヌムの戦い	
	476	西ローマ帝国、ゲルマン人傭兵隊長オドアケルに滅ぼされる ⬇	
	481	クローヴィスによってフランク王国が興る（〜511）（フランス・ドイツ他）	
500	496	フランク王国初代国王、クローヴィス1世がアタナシウス派に改宗	

注目しよう！

民族大移動の中には、ゲルマン人（下段解説）とは違う民族「スラブ人」の拡張もありました。現在、人口2億5千万を超えるヨーロッパ最大の民族。言語学的にスラブ人は東スラブ族のロシア人、ウクライナ人など、西スラブ族のポーランド人、チェコ人など、南スラブ族のブルガリア人、セルビア人などに分けられています。

ゲルマン民族の大移動（375〜500頃）

375年、フン族が東ゴート（黒海北岸）の大半を征服してから約2世紀近くにおよぶゲルマン人の大移動が始まりました。

ワンポイント解説

ゲルマン人

ゲルマン人というひとつの民族共同体があったわけではありません。もともと、ローマ帝国によるゲルマニア地方に住む「諸民族」に対する呼び名です。アングロ・サクソン人やゴート人という部族名は、まさに民族名ですが、ゲルマン人というのはそれらの複数の民族の総称です。なお、せまい意味ではドイツ人（オーストリア人・ドイツ語を話すスイス人など）の意味で使うこともあります。

古墳時代が続く……　401～500

インド・東南アジア	北・東アジア	日 本	
エフタルは中央アジアで活動した遊牧民の国家です。インドへと侵入してグプタ朝を脅かし、その衰退、滅亡の原因になりました。	420　〈南朝〉宋が成立する（～479）（中国）		401
	439　〈北朝〉北魏が華北を統一する（中国）		古墳時代（約4世紀～7世紀）
			450
460頃　エフタルがインドに侵入する	460頃　雲崗の石窟寺院を開く（中国）		
▲グプタ朝〈第4代クマーラグプタ1世〉が建立した仏教教学を中心にした大学《僧院》のナーランダ僧院	▲中国山西省大同市の西方20kmにあり東西1kmにわたる約40窟の石窟寺院		
	479　斉（南斉）、興る（中国）		
470頃　グプタ朝の支配権が2つに分裂する（インド）	485　北魏の孝文帝が均田法を実施する（中国）	▲古墳に立てる埴輪は5世紀後半になると人物と動物の組み合わせのパターンが多く見られます。	
			500

写真提供／奈良県立橿原考古学研究所附属博物館

藤ノ木古墳の金銅製冠と金銅製履

奈良県法隆寺から徒歩5分のところにある、藤ノ木古墳は6世紀後半のものと言われています。1985年の発掘調査では、豪華な副葬品が発見され、冠も履も実際の生活に使われていたものではなく、葬儀の際に使用したものか埋葬品として入れたものと判断されています。このほかにも、金銅製鞍金具などもあり、今まで発掘されたものとは違った種類の出土品として注目されています。

写真提供／奈良県立橿原考古学研究所附属博物館

▲復元品

東ローマ帝国が復活する。日本では厩戸皇子

		ギリシア・ローマ・ヨーロッパ		オリエント、西アジア
501	527	東ローマ帝国でユスティニアヌス1世が即位する（〜565）		ササン朝最盛期
	529	モンテ＝カッシノ修道院創立	531	ササン朝ペルシア・ホスロー1世が即位（〜579）
		▲ユスティニアヌス1世	537	アヤ（ハギア）ソフィア聖堂が建てられる（トルコ）⬇
	533	東ローマ帝国が北アフリカのヴァンダル王国を滅ぼす⬇		
550				
	568	北イタリアにランゴバルド王国が興る ▲ランゴバルド王国の鉄王冠	570頃	ムハンマド（マホメット）誕生★（〜632）
		モンテ＝カッシノ修道院は第2次世界大戦でのイタリアの激戦地となり、この歴史的建造物（世界最古の石造りの修道院）は破壊され、後に復元されました。	581	ペルシアがビザンツ軍と戦う（〜591）
600				

6世紀半ばの東ローマ帝国の領土

フランク王国／コンスタンティノープル（今のイスタンブール）／黒海／西ゴート王国／（東ゴート王国）／ローマ／東ローマ帝国／（ヴァンダル王国）／地中海

ユスティニアヌス1世は地中海帝国の復興をはかり、ヴァンダル王国やイタリアの東ゴート王国を滅ぼし、一時的に地中海のほぼ全域にローマ帝国を復活させました。ゲルマン人の大移動の影響もあまり受けず、ヨーロッパ最大級の貿易都市として栄えた、首都コンスタンティノープルを中心に、皇帝がキリスト教の教皇も兼ねるという、絶対的な権力をもっていました。

501～600

厩戸皇子（聖徳太子）が摂政に

インド・東南アジア	北・東アジア	日本	
	中国・南北朝時代 （439～589）	531 欽明天皇即位 （～571）	古墳時代（約4世紀～7世紀） 501
538頃 南インドにチャールキヤ朝興る（インド）		538 百済より仏教が伝わる	
			550
	552 突厥帝国が成立する	593 推古天皇即位 （～628）	飛鳥時代
	581 隋が建国される		
	589 隋が中国を統一する	593 厩戸皇子（聖徳太子）が摂政につく（～622）	
			600

▲仏教公伝の碑（奈良県桜井市）
諸国より遣いや物資が上陸したとされている

▲文帝

注目しよう！

610年頃、唯一神アッラーの啓示を受けたムハンマドは、信徒集団をつくり「イスラーム教」の開祖となります。
現在、イスラーム教徒は約20億人といわれ、経典「コーラン」を生活の規範としており、スンニ派とシーア派に大別されます。

アヤ（ハギア）ソフィア聖堂

ビザンティン建築の傑作と評価されている、トルコのイスタンブールにある博物館。ユスティニアヌス1世によって、高さ41.5mのドームが建設されたのは、537年。地震などによって崩壊が繰り返され、現在のドームは第二ドームで562年に献堂式、帝国第一の格式を誇る東方正教会の大聖堂でした。その後、オスマン帝国（1453年にコンスタンティノープルを占拠）によって、内部の一部がモスクへ改修されました。

厩戸皇子(聖徳太子)が政治をつかさどる。イス

		ギリシア・ローマ・ヨーロッパ		オリエント、西アジア
601	610	東ローマ帝国・ヘラクリウスが即位(～641)(ギリシア・トルコ)	610	イスラーム教が成立(メッカ/サウジアラビア)
	613	フランク王国・クロタール2世が王国を統一(フランス・ドイツ・イタリア)	622	ムハンマドはメディナに移住してイスラーム教徒の共同体を建設。これをヒジュラ(聖遷)という(メディナ/サウジアラビア)
	623	王国二分、フランク人サモがボヘミア王国を建てる(チェコ)	642	ササン朝ペルシアが倒れる(イラン)
650	650	フランク王国、アウストラシアとネウストリアに分割統治		
			651	ヤズデギルド3世が殺され、ササン朝完全に滅ぶ
			661	ウマイヤ朝が興る(シリア)
700				

▲プロバンス地方/フランス

藤原京の中心にあった藤原宮の瓦

香久山(現在地・奈良県橿原市の南東)のふもとにあった藤原京。この藤原京や平城京では、瓦づくり、土器づくり、鋳造関係などさまざまな手工業にたずさわる人々が生まれています。

写真提供/奈良県立橿原考古学研究所附属博物館

ワンポイント解説

厩戸皇子(聖徳太子)

厩戸皇子(聖徳太子)は中央による政治を進め、冠の色(紫、青、赤、黄、白、黒)で地位を定める冠位十二階や争いをしない、天皇の命令に服従する、仏教を信仰するなどの憲法十七条を制定しました。

ラーム教が生まれる 601〜700

インド・東南アジア

- 606 ハルシャ王・ヴァルダーナ朝を興す（インド）
- 629 吐蕃王朝成立 ソンツェン・ガンポがチベットを統一

▲吐蕃王朝の城が建っていたと伝えられる場所に建つラサのポタラ宮

- 670頃 スマトラでシュリーヴィジャヤ王国が興る

北・東アジア

- 618 隋が滅び、唐が興る（〜907）

◀高祖・李淵 [566〜635年]

- 626 唐の2代皇帝・太宗が国を整える（〜649）
- 649 唐の高宗が新羅と組んで百済、高句麗を滅ぼす（〜668）
- 676 新羅の朝鮮統一時代がはじまる

日本

飛鳥時代

- 601
- 603 厩戸皇子（聖徳太子）が冠位十二階を制定する
- 604 憲法十七条を制定
- 607 小野妹子、隋に渡る
- 630 唐に使者を送る
- 645 中大兄皇子、中臣鎌足らと蘇我入鹿を討つ（大化の改新）
- 646 改新の詔が出される
- 650
- 672 壬申の乱、673年に天武天皇（〜686）が即位
- 694 持統天皇（686〜697）が藤原京に遷都
- 700

法隆寺

厩戸皇子（聖徳太子）によって7世紀のはじめ、奈良県の斑鳩に建てられたと伝えられています。現在の法隆寺は670年に全焼した後、8世紀初めまでに再建されたものといわれています。それでもなお世界最古の木造建築といわれています。

注目しよう！

現代はコンクリートの時代と言われています。法隆寺の建物では「木」が1300年間を超えて存在することを証明しています。おそらく1300年後に今のコンクリートの建物は残っていないでしょう。大切にすれば、「木」の建物は長い月日に耐えるのです。それは「木」が呼吸をしているからなのです。

日本の奈良時代、ヨーロッパ・西アジアは

	ギリシア・ローマ・ヨーロッパ	オリエント・西アジア・アフリカ・イベリア半島
701	ウマイヤ朝の領域拡大（北アフリカ、イベリア半島、中央アジア）	
	711　ウマイヤ朝が西ゴート王国を滅ぼす	

▲モンサンミッシェル　708年、司教オベールの命で建築されました
写真提供／Mathias Neveling

メスキータ（写真は内部のアーチ）は785年からスペインのコルドバに建てられました。当初はイスラムのモスクでした。

	732　トゥール・ポワティエ間の戦い　フランク王国（カール・マルテル）に侵入したウマイヤ朝が敗れる	750　ウマイヤ朝が混乱するなか、アッバース朝が開かれる（イラン）★
750		
	751　カール・マルテルの子・ピピンがカロリング朝を興す	756　ウマイヤ朝はイベリア半島に逃れ、後ウマイヤ朝を興す（〜1031）
	800　ピピンの子・カール大帝がローマ皇帝の帝冠を授かる	786　アッバース朝・ハールーン＝アッラシードが即位（〜809）　アッバース朝の隆盛時代
800		

▲カール大帝戴冠式

アッバース朝最盛期の版図（850年頃）

新羅の仏国寺

韓国慶州市にある仏教寺院。新羅の時代、751年頃建立されています。首都慶州を中心に仏教文化が繁栄しました。

▲アッバース朝は東西交易や農業・灌漑の発展などにより繁栄し、首都のバグダードは産業革命以前における世界最大の都市となりました。

激しく変遷 701〜800

インド・東南アジア・中央アジア	北・東アジア	日本	
			701
	712 唐・玄宗（〜756）の「玄宗の開元の治」	710 奈良の平城京に都が移る	奈良時代
		712 「古事記」が完成	
		720 「日本書紀」が完成、「万葉集」が作られる	
		741 諸国に国分寺が建つ	
			750
778 ジャワに仏教国のシャイレンドラ朝が興る	755 安史の乱が起こる（〜763）	752 東大寺の大仏、10年で完成	
	780 両税法（戸税と地税）を施行	794 都を平安京に移す（京都）	平安時代
			800

注目しよう！

アッバース朝は、アラブ民族の特権をやめて、イスラーム教徒の間の平等を実現することで巨大なイスラーム帝国を築きました。762年にはバグダードの建設を始め国際都市にしました。

楊貴妃▶

▲東南アジアで最大の石造建造物の、仏教寺院ボロブドゥール
写真提供／Pra-Yudi

平城京跡の出土品

平城京は唐の長安にならって造られたと言われています。天皇の住居・平城宮や貴族の家などが並び、人口は7万人とも20万人とも言われており、暮らしに使われた瓶や土器などが平城京跡から出土しています。

写真提供／奈良県立橿原考古学研究所附属博物館

フランク王国が東・中部・西の3つに分かれる

		ギリシア・ローマ・ヨーロッパ		オリエント、西アジア
801	814	フランク王国・ルイ1世が即位(〜840)		アッバース朝の国勢および文化の全盛時代(中近東)
	843	ヴェルダン条約によって王国が3つに分けられる ⬇★		
850			836	都をバグダードからサマッラーに移す
	870	メルセン条約 ⬇		
		▲ルイ1世		「千夜一夜物語」の原型が生まれる
	875	イタリアのカロリング朝の王位が断絶		
	876	東フランク王国(ドイツ)・カール3世が即位(〜887)		
	877	西フランク王国(フランス)・ルイ2世が即位(〜879)		
	880	カール3世がイタリア王を兼ね、翌年、皇帝となる。	892	バグダードに再び都を移す(イラク)
900		▲カール3世		

💡 **注目しよう!**
このフランク王国の分裂が現在のヨーロッパのドイツ、フランス、イタリアに発展することになります。

ヴェルダン条約とメルセン条約によるフランクの分裂

843年ヴェルダン条約はルイ1世の死後、子であるロタール、ルートヴィヒ、シャルルがフランク王国を3分割して相続することを定めた条約。さらに855年にロタールが死に、中部フランク王国の分割を取り決めたのがメルセン条約です。

801～900

インド・東南アジア・中央アジア		北・東アジア		日本		
820頃	インド・パラマラ朝が栄える（〜1200頃）	805	唐・憲宗が即位（〜820）	804	最澄と空海が遣唐使として唐に入る	平安時代（794〜1185） 801
831	ブンデルカンド地方にチャンデーラ朝が成立（〜1203）（インド）	826	唐・文宗が即位（〜840）	805	最澄が天台宗をひらく	
				809	嵯峨天皇即位（〜823）	
889	クメール王朝のヤショー＝ヴァルマン1世が即位（〜910）（カンボジア）アンコール・トムの建設が始まる（カンボジア）	875	黄巣の乱が起こる（塩の密売人「黄巣」が起こした反乱が全土に広がる）	816	空海が高野山に金剛峯寺を建て真言宗をひらく⬇	
				838	最後の遣唐使（〜839）	850
				858	藤原良房、摂政となる	
				887	藤原基経、正式に関白となる	
				897	醍醐天皇即位（〜930）	900

アンコールは、アンコール朝の王都が置かれた地です。9世紀からおよそ600年続いた、クメール人による王朝です。

▶アンコール・トム

高野山不動堂

高野山には数多くの寺院が建っています。その中のひとつである不動堂は1198年に建立されました。

ヨーロッパに神聖ローマ帝国が生まれ、

		ギリシア・ローマ・ヨーロッパ		オリエント、西アジア、アフリカ
901	911	西フランク王国にノルマンディ公国が成立	909	北アフリカにファーティマ朝が成立する（～1171）
			932	西イランにブワイフ朝が成立する（～1062）
			946	ブワイフ朝がバグダードに侵入する（イラク）
950	936	東フランク王国・オットー1世（大帝）が即位（～973）（ドイツ）	962	ガズナ朝が成立する（～1186）（アフガニスタン）
	962	オットー（大帝）が神聖ローマ帝国（ドイツ帝国）を成立させ、ローマ皇帝の位を与えられる		
	983	オットー3世が即位（～1002）（ドイツ）		
1000				

注目しよう！
フランス、ドイツはフランク王国というひとつの国の時があったり、ヨーロッパの国々は統一や分裂を繰り返しています。

▲モアイ像イースター島10～14世紀

ワンポイント解説
ヴァイキング

ノルマン人はゲルマン人の一派に属し、スカンジナビア半島やユトランド半島に住んでいました。彼らの一部は商業や海賊・略奪行為を目的として、ヨーロッパ各地に海上遠征を行うようになり、ヴァイキングとして恐れられました。ヴァイキングの船は細長く底の浅いのが特徴。河川をさかのぼり内陸深く侵入します。911年、北フランスに上陸し、ノルマンディ公国を建てました。

イェリング、ルーン文字の石碑（デンマーク）
デンマークのゴルム王と息子のハラルド青歯王が王国をキリスト教化したことを示す石碑。石碑にはルーン文字が刻まれ、デーン人がキリストに改宗したと書かれています。（ハラルド青歯王碑は983年頃のもの）

写真提供／denisbin

宋が中国を統一 901〜1000

インド・東南アジア・中央アジア	北・東アジア	日本	
			901
インド・プラティハーラ朝が栄える	907 唐が滅び、五代十国の戦乱の時代になる（〜960）（中国）	905 「古今和歌集」ができる	平安時代（794〜1185）
カンボジア隆盛時代	918 朝鮮・高麗が建国される	939 天慶の乱（平将門・藤原純友の乱）が起こる	
		▲将門首塚	
		荘園がますます増大する	950
	960 五代の後周の将軍・趙匡胤が宋を建国する（中国）	969 藤原兼家の東三条殿（寝殿造）が建つ	
	979 宋の太宗が中国を統一する	980 宋との交易がはじまる	
		986 一条天皇が即位（〜1011）	1000

▲アンコール・トム（9世紀末から12世紀後半に建設）

アンコール・トム「クメールの微笑み」と呼ばれる神秘的な微笑みの仏面

カンボジアは6世紀にメコン川中流域にクメール人によって興された王国で、アンコールに都を置いていました。

古今和歌集

醍醐天皇の勅命によって編集された初めての勅撰和歌集で20巻からなっています。万葉集以降の約1100首を収めています。

人はいさ 心も知らず ふるさとは
花ぞ昔の 香ににほひける　　紀貫之

久方の 光のどけき 春の日に
しづこころなく 花の散るらむ　　紀友則

紀貫之▶

第1回十字軍の遠征が始まり、日本では

	ギリシア・ローマ・ヨーロッパ		オリエント、西アジア、アフリカ
1001			
	1016 カヌートがイングランドを支配(〜1035)		
1040	サンマルコ寺院 11〜14世紀にかけて改築(イタリア・ヴェネツィア)▶	1038	セルジュク朝が成立する(トルコ)
	1056 神聖ローマ帝国・ハインリヒ4世が王になる(〜1106)(ドイツ)	1055	セルジュク軍がバグダードに入城、西アジアの支配者となる(イラク)
1060			
	1066 ノルマン朝がイングランドを征服する		
1080	1077 聖職者の任命権をめぐり、「カノッサの屈辱」事件が起きる(イタリア) カノッサの屈辱▶		▲中世の写本に描かれた第1回十字軍のイェルサレム攻撃
	1095 クレルモンの宗教会議で十字軍の遠征を決定する(フランス)⬇	1098	対十字軍戦争が始まる
1100	1096 第1回十字軍の遠征	1099	十字軍がイェルサレム王国を建国する(〜1291)(イスラエル)

十字軍の遠征の軌跡〈第1回〜3回〉

第1回十字軍(1096〜99)
第2回十字軍(1147〜49)
第3回十字軍(1189〜92)

セルジュク朝がキリスト・イスラーム教徒の聖地であるイェルサレムを占領したため、東ローマ帝国(ビザンツ皇帝)が教皇に救いを求めたことから、十字軍の遠征が始まりました。十字軍の遠征は第7回(1270年)までありましたが、第2回、3回、6回、7回と失敗に終わっています。1291年に十字軍の拠点だったアッコンが陥落し、なんと約200年も続いた十字軍運動は終わりました。

藤原家が全盛期となる 1001〜1100

インド・東南アジア・中央アジア	北・東アジア	日本	
1001 ガズナ朝のインド侵略が始まる		1017 藤原道長・太政大臣につく	1001 平安時代（794〜1185）
1009 安南の李朝、都をハノイ（昇龍）に定める（ベトナム）	1038 西夏が宋の西に成立する	清少納言「枕草子」、紫式部「源氏物語」が書かれる	
		1028 平忠常の乱が起こる	1040
1044 ビルマにパガン朝が興る（〜1287）	1069 宋で王安石の改革が始まる	1052 藤原頼通が平等院鳳凰堂を建てる⬇	
		1072 白河天皇が即位する（〜1086）	
	▲王安石		1080
	韓国は高麗の時代がつづく	1086 堀河天皇が即位する（〜1107）	
			1100

注目しよう！

浄土宗の本尊 阿弥陀如来。ところが浄土宗の開祖・法然が生まれたのは1133年（1212年没）で浄土宗を開いたのは1175年。平等院の阿弥陀如来坐像は、それ以前の浄土信仰の象徴としても注目されます。

藤原頼通が建立した、平等院鳳凰堂と阿弥陀如来坐像

頼通は藤原道長（966〜1027年）の息子です。道長をはじめとする藤原氏は、天皇の代理者、補佐者として政治の実権を握る「摂関政治」を行いました。

▲平等院鳳凰堂　▲阿弥陀如来坐像

平家が滅び、鎌倉幕府が開かれる。十字

		ギリシア・ローマ・ヨーロッパ		オリエント、西アジア、アフリカ
1101	1130	南イタリアにシチリア王国が創建される	1132	中央アジアに西遼が興る
1140			1148頃	ゴール朝が興る（アフガニスタン）
1160	1147	第2回十字軍の遠征（～1149）		
	1167	イギリス・オックスフォード大学の始まり（講義は1096年に行われていた）	1169	エジプトにアイユーブ朝が興る
1180	1180	フランス王国・フィリップ2世が即位（～1223）		
	1189	イギリス国王、フランス国王、神聖ローマ帝国皇帝が参加して、第3回十字軍の遠征（～1192）		
	1198	ローマ教会・インノケンティウス3世が即位（～1216）		
1200				

▲イタリア・ピサの斜塔（1173～）

11～12世紀頃の世界の勢力マップ

- カトリック
- ギリシャ正教
- イスラーム
- ヒンドゥー

ポーランド王国／ハンガリー王国／スウェーデン王国／デンマーク王国／ブルガリア／ルームセルジューク朝／イェルサレム王国／グルジア／セルジューク族諸王国／西ウイグル／西夏／金／日本／イングランド王国／フランス王国／神聖ローマ帝国／キエフ公国／カスティーリャ王国／ポルトガル王国／アラゴン王国／ムワッヒド朝／セルビア／アイユーブ朝／ビザンツ帝国／アッバース朝／ホラズム朝／チベット／セーナ朝／大理／南宋／高麗／ヒンドゥー諸王朝／ゴール朝／パガン朝／カンボジア

軍の遠征が続く……　　**1101〜1200**

インド、中央・東南アジア	北・東アジア	日本		
1112 アンコール・ワットの建設（〜1162）	1115 中国・金が建国される	1124 奥州藤原氏が平泉に中尊寺金色堂を建立	平安時代（794〜1185）	1101 1140
	1125 金が遼を滅ぼす	1156 保元の乱が起こる		
		1159 平治の乱が起こる		1160
	1126 金が北宋を滅ぼす、靖康の変が起こる	1167 平清盛が太政大臣になる		
	1127 逃れた高宗が南宋を建てる	1175 法然が浄土宗をひらく		
		1180 源平合戦が起こる（〜1185）		1180
		1185 壇ノ浦の戦いで平氏が滅ぶ	鎌倉時代	
		1192 源頼朝が征夷大将軍に就任		1200

▲アンコール・ワット

注目しよう！

「祇園精舎の鐘の声、諸行無常の響きあり」という名文で始まる、「平家物語」。鎌倉時代に成立したといわれ、作者には多くの説があります。平家の栄華と没落を描いた物語は、800年以上経っても変わらない「人のむなしさ」を教えてくれます。

アンコール・ワット

アンコール・ワットはカンボジアにあるアンコール遺跡を代表する寺院建築。アンコールは街、ワットは寺院を意味します。12世紀前半、アンコール王朝のスーリヤヴァルマン2世によって、ヒンドゥー教寺院として建てられました。

チンギス・ハーンによるモンゴル帝国が

		ギリシア・ローマ・ヨーロッパ		オリエント、西アジア、アフリカ
1201	1202	第4回十字軍の遠征(～1204)	1210頃	モンゴル民族の進出
			1219	チンギス・ハーンの西域征圧(～1223)
1220	1215	イギリス・マグナカルタ(大憲章)制定		
	1241	蒙古軍がシレジアに侵入、ワールシュタットの戦いが起こる(ポーランド) ワールシュタット会戦▶	1250	エジプトにマムルーク朝が興る
			1258	イル・ハン国成立(イラン) 第7代ハンに即位したガザンはイスラム教に改宗した ガザンのイスラム改宗の絵画 「集史」パリ本より▶
1260	1265	イギリス下院のはじめ(シモン=ド=モンフォールの議会)		
	1273	神聖ローマ帝国・ルドルフ1世即位(ハプスブルク家の皇帝のはじめ)	1258	アッバース朝が消滅
1280			1299	オスマン帝国が興る(トルコ)
1300				▲オスマン1世

注目しよう!
16世紀にはヨーロッパ最大の王家となる、ハプスブルク家、「カール」「フリードリヒ」「マリア」「ルドルフ」などの名称はハプスブルク家の一族であることを表します。

モンゴル大帝国

オゴタイ・ハン国
キプチャク・ハン国
元
モンゴル大帝国
イル・ハン国
チャガタイ・ハン国

西はカザフスタンから東は朝鮮まで広がり、日本へ2度攻めてきました。

世界を揺るがす 1201〜1300

インド、中央・東南アジア

▲12世紀末に造られたクトゥブ・ミナール（インド）

- 1225 オゴタイ・ハン国成立（新疆ウイグル自治区・中国）
- 1227 チャガタイ・ハン国成立（カシュガル・中国）
- 1243 キプチャク・ハン国が成立する（カザフスタン）
- 1267 南インドのパーンディア朝がチョーラ王国を滅ぼす
- 1287 ビルマにペグー朝が興る

北・東アジア

- 1206 チンギス・ハーン即位（〜1227）
- 1227 チンギス・ハーンが西夏を滅ぼす
- 1234 金が滅ぶ
- 1259 韓国・高麗がモンゴルに服属
- 1271 元（蒙古帝国）が建国される
- 1279 元が南宋を滅ぼす

▲13世紀につくられたスコタイ（タイ）

日本

鎌倉時代（1192〜1333）

- 1219 1199年に源頼朝が急死、北条氏の執権政治が始まる
- 1221 承久の乱・幕府軍が上皇軍を圧倒し、後鳥羽上皇は隠岐へ流される
- 1232 北条泰時が武家法の元となる、御成敗式目51カ条を定める
- 1274 文永の役 元軍、高麗軍が日本に襲来するが、失敗

▲「蒙古襲来絵詞」前巻

- 1281 弘安の役 元軍がさらなる大軍で日本に襲来するが、失敗

1201
1220
1260
1280
1300

チンギス・ハーン

チンギス・ハーンは、モンゴル帝国の初代ハーン（皇帝）です。一代で大小さまざまな集団に分かれていたモンゴルの遊牧民を統一し、中国北部、中央アジア、イランなどを次々に征服してモンゴル帝国を築き上げました。その帝国がチンギスの死んだ後、しばらくして無くなってからも、その影響は中央ユーラシアにおいて生き続け、遊牧民の偉大な英雄として賞賛されています。とくにモンゴルでは国家創建の英雄として称えられています。

英仏間で百年戦争、日本では室町幕府か
（イギリス-フランス）

		ギリシア・ローマ・ヨーロッパ	オリエント、西アジア、アフリカ
1301	1302	三身分の代表者からなる身分制議会・三部会がフランス王国で起こる。このような議会はイギリス、ドイツ、スペインなど各国で成立した	**イタリア・フィレンツェの繁栄とゴシック建築**  13世紀末に造られたサンタ・マリア・デル・フィオーレ教会 ▶ ◀14世紀完成のサンタ・クローチェ教会
1320			
1340	1339	英仏間で百年戦争が起こる（〜1453）	
	1347	全ヨーロッパにペスト（黒死病）が広がる（〜1349）	
	1356	神聖ローマ帝国・カール4世が「金印勅書」を発布し、ドイツ皇帝選挙の手続きを定める	1354 オスマン・トルコ（トルコ軍）のヨーロッパ侵入が始まる
	1378	ローマ教会・教会の大分裂	1370 チャガタイ・ハン国の武将ティムールがティムール帝国を建国する
1380			
	1381	イギリス・ワットタイラーの乱＝農民一揆	
1400			

注目しよう！
この時代、「百年戦争」という名称そのものが表すように、時間の流れがゆったりとしていたのでしょうか単純計算でも100年ということは親子3代に渡って戦争していることになります。また、日本では南北朝に分かれた内乱が50年ほど続きます。

ワンポイント解説

百年戦争

イギリス国王エドワード3世が、フランス王位継承権を主張したことをキッカケに始まった百年戦争。戦局はイギリス有利で進んでいましたが、1429年、神のお告げを受けたという少女「ジャンヌ・ダルク」が登場し、フランス軍を勝利に導く活躍をしました。

▲クレシーの戦い

▶ジャンヌ・ダルク（1903年、アルバート・リンチ、フィガロ・イラストトレ誌掲載）

誕生する … 1301〜1400

インド・中央・東南アジア	北・東アジア	日本	
			1301
	1351 白蓮教徒による紅巾の乱が起こる（〜1366）	1324 正中の変・1331元弘の変。二つの変とも、後醍醐天皇による倒幕計画の失敗	鎌倉時代（1185〜1333）
1336 南インドにヴィジャヤナガル王国が興る ハンピの都市遺跡 ハンピはヴィジャヤナガル王国首都であった▶ 写真提供／Ajar	1368 元が倒れ、明が建国される ▲明朝初代皇帝 朱元璋《洪武帝》	1333 鎌倉幕府が滅ぶ 1334 後醍醐天皇が「建武の新政」を開始する 1336 後醍醐天皇が吉野に移る（南朝）	
1350 タイにアユタヤ朝が興る ▲アユタヤ王宮・サンペット宮殿 ▲木の根の仏像 14世紀後半 ワット・プラ・マハート（タイ）	1392 李成桂が朝鮮を建国する ▲李成桂 1399 燕王が靖難の役を起こし南京を占領する	1338 足利尊氏が光明天皇（北朝）を立て、室町幕府を開く⤵ 1392 足利義満が南北朝廷を一つにまとめる 1397 義満が金閣寺造営	室町時代（1338〜1467） 1380
			1400

足利尊氏

後醍醐天皇の命令で鎌倉幕府を倒す一員となったが、後醍醐天皇の「建武の新政」が天皇の独裁政治であることに反発。武家政権を目指す足利尊氏は、後醍醐政権を打倒し、1338年に室町幕府を開きます。写真は1358年に没した尊氏の死の場面を描いた、「太平記絵巻」第十巻の一部です。

日本は応仁の乱で戦国時代へ。コロンブスか

	ギリシア・ローマ・ヨーロッパ		オリエント、西アジア、アフリカ
1401	イタリア・ルネサンス最盛期	1402	アンカラ（アンゴラ）の戦い（トルコ）

◀フィレンツェ
ルネサンスは北イタリア、フィレンツェなどを中心に、14世紀頃に始まりました

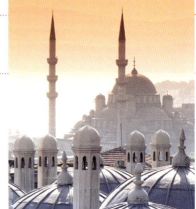

1420			
1440	1437 フランス軍、パリ奪還		
	ジャンヌ・ダルク[1412～1431年]▶		
	1453 百年戦争、終わる	1453	オスマン＝トルコ軍がコンスタンティノープルを陥れ、東ローマ帝国（ビザンツ帝国）が滅亡する（トルコ）
	1455 イギリス・ばら戦争が始まる （～1485）		
1460			
	1479 イスパニア王国（スペイン王国）が成立する		
	1480 モスクワ大公国がキプチャク・ハン国から自立する		
1480			
	1492 コロンブスの第1回航海、アメリカ（サンサルバドル島）に到達 ◀コロンブス		
1500			

▲コンスタンティノープルはイスタンブールとなる

マチュピチュ　南アメリカ、アンデス山中の空中都市

標高2400mのアンデス山脈の山の上に残るインカ帝国の空中都市。首都クスコなどの他の都市はスペイン人によって徹底的に破壊されましたが、マチュピチュは山の上に造られたので残りました。インカ人は1400年代の半ばにここに都市を建設し、100年でここから離れて行きました。水道も整備されていて、現在でも水くみ場には水が流れています。

アメリカを発見……… 1401～1500

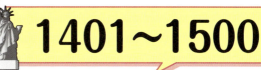

インド・中央・東南アジア	北・東アジア	日本		
			室町時代（1338～1467）	1401
ジャワやスマトラのイスラム化が進む	1405 明の第3代皇帝・永楽帝が鄭和の率いる大船団をインド洋に派遣	1404 明と通商条約を結ぶ（勘合貿易が始まる）		
▲中国・故宮（紫禁城）1406～		1418 世阿弥「風姿花伝」を書く		1420
1451 インド・デリーのサイイド朝が滅び、ロディー朝が興る	1429 沖縄島が統一され琉球王国が誕生する	1428 山城の正長土一揆、これをキッカケに近畿で一揆が頻発する		1440
		1457 太田道灌が江戸城を築く		1460
	▲琉球王国の行政の中心・首里城跡〈世界遺産〉	1467 応仁・文明の乱、戦国時代の始まり（～1477）	戦国時代（1467～1582）	
		1473 山名宗全、細川勝元ともに亡くなる		1480
1498 ポルトガル人・ヴァスコ＝ダ＝ガマがインド航路を発見する		1482 足利義政、銀閣を創建		1500

ヴァスコ＝ダ＝ガマの航路
ゴア
喜望峰

注目しよう！
室町幕府は1338年から15代将軍義昭が1573年に追放されるまでの約240年間続くことになりますが、この本では1467年の「応仁・文明の乱」から戦国時代と表記しています。

単に「応仁・文明の乱」とも呼ばれる、約11年間続いた内乱です。8代将軍義政の後継争い（義視と義尚の争い）と守護大名の家督争い（細川勝元と山名宗全の争い）がキッカケで起こりました。さらに、畠山同士・斯波同士の両家の家督争いが加わり大内乱となりました。細川側東軍〈足利義視、斯波義敏、畠山政長〉16万人と、山名側西軍〈足利義尚、斯波義廉、畠山義就〉11万人が京で激突しました。

応仁・文明の乱
京都市上京区にある御霊神社の鳥居横にある「応仁の乱の勃発地」の碑。

ルターのプロテスタント（新教）とカトリック

	南・北アメリカ		ヨーロッパ
1501〜1520	マヤ文明の衰微 15世紀中頃 アステカ帝国の繁栄 15世紀頃 インカ帝国の繁栄 15世紀頃 ▲メキシコ、ククルカン神殿のピラミッド（マヤ5〜7世紀）	1517	マルティン・ルターが95カ条の論題発表 ◀マルティン＝ルター
		1524	ドイツ農民戦争（〜1525）
		1525	パヴィアの戦い、ドイツ軍、イスパニア軍と協力してフランス軍を破る
	1533 ピサロがペルー征服 1533 インカ帝国が滅ぶ ▲マチュピチュ	1534	イギリス国教会が成立、イギリスの宗教改革が始まる
1540	**注目しよう！** インカ帝国は15世紀に最盛期を迎え、南米大陸の西海岸まで制覇しましたが、1533年、侵入したスペイン人によって滅亡しました。	1541	ジュネーブにおけるカルヴァンの宗教改革
	1549 ブラジル総督制となる	1545	イタリア諸邦・トリエント公会議（〜1563）
1550			

カトリック（旧教）とプロテスタント（新教）の違い

教皇レオ10世 ←免罪符の販売で対立→ **マルティン・ルター**

宗教改革始まる

カトリック
・教皇権の至上主義
・教会制を重視

プロテスタント

イギリス国教会
・教義は聖書中心
・儀式はカトリック

カルヴァン派
・聖書中心、聖職者身分の否認（スイス、フランス、オランダ）

ルター派
・聖書中心、予定説を訴求、利潤追求を認める（ドイツ、北欧）

（旧教）の争い ……… 1501〜1550

オリエント・インド・東南アジア	北・東アジア	日本	
1502 イラン・サファヴィー朝が成立する（〜1736）	1517 ポルトガル人が広州付近に入る	1521 足利義晴が将軍になる（〜1546）	戦国時代（1467〜1582） 1501 1520
1526 インド・ムガル帝国の基礎が固まる ムガル帝国初代スルタン バーブル ▶	1521 明・嘉靖帝（世宗）が即位（〜1566）	1526 後奈良天皇が即位（〜1557） 1526 今川氏、今川仮名目録33条策定	
1526 トルコ軍がオーストリアを侵略（〜1532）		1543 ポルトガル人が種子島に来航し、鉄砲を伝える 1547 武田信玄が甲州法度之次第55カ条を策定 1549 ザビエルが鹿児島にキリスト教を伝える フランシスコ・ザビエル ▶ [神戸市立博物館所蔵]	1540 1550

▲シャンボール城（フランス・ロワールのルネサンス建築）

姫路城（1580年）、白鷺城の愛称があります
姫路市街北部に最初に建てたのは、1346年、赤松貞範であるという説が有力ですが、それは砦と呼ばれるような小さなもので、1580年、織田信長の重臣であった羽柴秀吉（後の豊臣秀吉）が播磨を統治するために姫路城を大規模な城に改築しました。現在残る城は徳川家康の娘婿の池田輝政が1601年から築いたものです。16、17世紀は日本でもヨーロッパでも美しい城がたくさん造られています。

信長、秀吉、家康、日本史上最もドラマチッ

	南・北アメリカ		ヨーロッパ
1551		1558	イギリス・女王エリザベス1世が即位（～1603）
1560	スペイン人進出（カリフォルニア、ニューメキシコ）／ヴァージニアの植民地化／イエズス会の伝道活動（北アメリカ）	1562	フランス王国でユグノー戦争（カルヴァン派とカトリック派の戦い）が始まる（～1598）
1570			ヴァシリー宮（ロシア）1560年完成▶
1572	イエズス会がアメリカ大陸で伝道を始める		
1580	▲パラグアイの伝道所遺跡	1581	イギリス領のオランダ（ネーデルラント連邦共和国）が独立宣言
1584	イギリス人によるヴァージニアの植民地化が始まる	1588	イギリスがスペインの無敵艦隊を破る
1590			アルマダの海戦を描いた「無敵艦隊の敗北」[1797年]▶
1598	スペイン人がニューメキシコ、カリフォルニアなどに進出	1598	フランス王国、ナントの勅令で信仰の自由が容認される
1600			

織田信長（1534～1582年）

信長が志した「天下布武」。武家の政権を以て天下を支配するという意味です。日本の中世の権力は公家と寺家、武家が複雑に絡み合っており、その中で公家と寺家を排して、本格的な武家政権を作るという意味を持っていたと考えられています。

クな50年間 ……… 1551～1600

インド・東南アジア	北・東アジア	日本	
			1551
1556 ムガル帝国・アクバル大帝が即位（～1605）	1557 明がポルトガル人のマカオ居住を許す（中国）	1553 川中島の戦い・第一次合戦（戦国大名、甲斐の武田信玄と越後の上杉謙信の戦い）	戦国時代（1467～1582）
		1560 織田信長が桶狭間で今川義元を討ち取る	1560
▲アクバル	隆慶帝▶	1568 織田信長が京に入る	1570
1571 スペインがマニラ市を建設する		1573 室町幕府が滅びる	1580
	▲昌徳宮（韓国）1607年再建の敦化門	1582 甲斐の武田氏が滅ぶ。本能寺の変で織田信長が倒れる	安土桃山時代（1582～1603）
		1590 豊臣秀吉、天下を統一	1590
		1592 秀吉が朝鮮出兵	
		1598 秀吉が亡くなる	
1600 イギリスが東インド会社を設立する		1600 関ヶ原の戦い	1600

注目しよう！

3人の武将が同時に生きていた期間は39年間もあります。信長が京に入った（1568年）年は34歳、そのとき秀吉は31歳、家康は26歳です。この3人の武将がつながり合って武家社会をつくったという考え方がもっともなところでしょう。

豊臣秀吉（1537～1598年）

辞世の句、「露と落ち 露と消えにし 我が身かな 浪速のことも 夢のまた夢」は有名な名句。生い立ちから天下統一までが見事に結晶しています。また1598年の春に開いた京都・醍醐寺の花見も印象的、秀吉はその半年後に没しました。

徳川家康（1542～1616年）

軍略家として信長や秀吉より一枚上手だったと評される家康、「狸親父」のあだ名もあります。謀略家としての才を発揮したのは秀吉の死後とも言われますが、秀吉が死ぬのをじっと待ってから動きだしたこと自体がその一端でしょう。

オランダは海を制し、イギリスは議会政治へ。

		南・北アメリカ		ヨーロッパ
1601	1604	フランス人によるカナダ植民地化が始まる	1603	イギリス・スチュアート朝となる（〜1714）
1610	1607	イギリスがヴァージニア植民地を建設（アメリカ）	1609	オランダ・アムステルダム銀行を設立
	1614	オランダがニューネーデルラントを占領（アメリカ）	1613	ロシア・ロマノフ朝となる（〜1917）
1620	1620	ピューリタン＝清教徒の一団がメイフラワー号でアメリカに渡り、ニューイングランド植民地の基礎をつくる（アメリカ）	1618	ドイツ・三十年戦争（新教徒と旧教徒の戦い）が始まる（〜1648）
1640		北アメリカ　ケベック（フランス人が上陸） ニューネーデルラント ヴァージニア	1640	ピューリタン革命（王党派と議会派の内戦）が始まる
			1643	フランス・ルイ14世が即位（〜1715） リゴー作、ルイ14世の肖像▶ ［ルーヴル美術館所蔵］
1650		注目しよう！ このオランダの航海の技術や先進性についても考えてみましょう！	1649	イギリス・チャールズ1世処刑、共和制となる（ピューリタン革命）

オランダの世界進出

1581年にスペインから独立したネーデルラントは、1648年にオランダ国として承認されるまでの間に、世界規模の海上貿易路を確立。1602年には、世界最初の株式会社「東インド会社」を設立しています。

日本は江戸幕府誕生 1601〜1650

オリエント・インド・東南アジア	北・東アジア	日本	江戸時代
			1601
1602 オランダが東インド会社を設立する		1603 徳川家康が征夷大将軍となり、江戸幕府を開く	
			1610
1619 オランダ・ジャワに総督を置く	1616 後金（清）が建国される（中国東北部）	1612 幕府直轄領にキリスト教の禁止令が発布される	
1623 アンボイナ事件が起こる		1614 大坂冬の陣が起こる	
	1624 台湾がオランダに占領される	1615 大坂夏の陣で豊臣家が滅亡する。武家諸法度が制定される	
▲1616年トルコ、イスタンブール、ブルーモスク完成	▲ゼーランディア城	大坂夏の陣図屏風・右隻 ▶ [大坂城天守閣所蔵]	
1632 ムガル帝国でタージ＝マハルの築造開始（〜1653）	1636 後金、国号を清と改める	1616 徳川家康が没する	
			1620
	1637 朝鮮が清に服属する	1637 島原の乱が起こる	
		1639 ポルトガル船の来航を禁止して鎖国に入る（〜1854）	
▲夕日の中のタージ＝マハル	1644 李自成が北京を攻略、明が滅び清の中国支配が始まる	1641 オランダ商館を長崎出島へ移す	1640
			1650

帆船

オランダ・アムステルダムにある帆船のレプリカ（東インド会社のアムステルダム号）。当時、このような船で北米、南米、アジアなどで貿易を行い巨額の富を得て繁栄しました。

日本は元禄時代。フランスはルイ14世が

	南・北アメリカ		ヨーロッパ
1651		1651	イギリス・航海法を制定、中継貿易のオランダに打撃を与える
1660	▲フランス王、ルイ14世が建てたヴェルサイユ宮殿	1652	イギリス・オランダの間で第1次戦争が起こる
			エイブラハム・ストーク作、第2次英蘭戦争中の海戦▶
1664	イギリスがオランダの植民地を奪い、ニューアムステルダムを「ニューヨーク」と改名	1660	イギリス・チャールズ2世が即位し、王政が復古する（〜1685）
1670	イギリスがハドソン湾会社を設立	1667	フランス・ルイ14世がオランダと戦争（〜1668）
1680	注目しよう！ アメリカ大陸は発見されてから200年を超える間、ヨーロッパ各国の植民地でした。	1672	ルイ14世、再びオランダ侵入
1682	フランス、ルイジアナを植民地化★	1688	イギリスで名誉革命が起こる⬇
1689	イギリス・フランス間の植民地戦争が始まる（〜1697）		
1700			

ワンポイント解説

名誉革命

1660年に王政が復古し、1685年に王となったジェームズ2世がカトリックと絶対王政の復活に努めたため、議会が反発し1688年にオランダの総督で新教徒の「ウィリアム3世」を招きました。彼は新教徒で王の娘であるメアリの夫でもありました。翌1689年にウィリアム3世とメアリ2世として両方とも王位についたことを名誉革命と呼んでいます。

強大な権力をふるう 1651〜1700

オリエント・インド・東南アジア

- **1658** ムガル帝国・アウラングゼーブ即位（〜1707）

▲フマーユーン廟
写真提供／Art Poskanzer

- **1661** ポルトガルがイギリスにボンベイを譲る
- **1664** フランス・東インド会社を再興する
- **1672** フランスが南インド・ポンディシェリー市を建設する

北・東アジア

▲康熙帝

- **1661** 清・康熙帝が即位
- **1673** 三藩の乱（雲南・広東・福建の藩王が抵抗、1681年に鎮圧）が起こる
- **1683** 清が鄭氏を滅ぼし、台湾を取得する
- **1689** 清とロシア、国境を定めたネルチンスク条約を結ぶ

日本

- **1651** 第4代将軍に徳川家綱がつく（〜1680）
- **1657** 明暦の江戸大火が起こる

▲日光東照宮陽明門（1636年）

- **1680** 第5代将軍に徳川綱吉がつく（〜1709）

徳川綱吉▶

- **1685** 生類あわれみの令を発令する
- **1688** 元禄時代（〜1704）が始まる
- **1693** 井原西鶴が亡くなる
- **1694** 松尾芭蕉が亡くなる

江戸時代 1651 / 1660 / 1680 / 1700

見ざる言わざる聞かざる

江戸時代の元禄文化

町人を中心として生まれた元禄文化。文学では浮世草紙などを書いた井原西鶴、俳人・松尾芭蕉、さらに人形浄瑠璃や歌舞伎も町人の娯楽として発達しました。このほか学問や絵画、染物なども盛んになりました。

英仏(イギリス-フランス)の争いが激しくなる。江戸幕府では

		南・北アメリカ		ヨーロッパ
1701	1702	アン女王戦争（スペイン継承戦争に対応した植民地戦争）が起こる（〜1713）	1701	スペイン継承戦争が始まる（イギリス・オランダ・オーストリア対フランス・スペインとの戦い、1713年のユトレヒト条約で終結）↓
		アン女王▶		
1710	1709	ドイツのアメリカ植民の始まり		
	1718	フランス、ニューオーリンズ市を建設		▲ビーゴ湾の戦い
		1720年のニューオーリンズの地図▲	1701	北ドイツにプロイセン王国成立
			1707	イングランドがスコットランドと合同し、大ブリテン王国と称す
	1720	フランス、セントルイス市を建設	1713	ユトレヒト条約が結ばれる
1720			1718	ユトレヒト条約を維持するためのパッサロヴィッツ条約が成る
			1721	イギリス・責任内閣制度の初めとなるウォルポール内閣が発足（〜1742）
1730		▲メキシコ、銀の産地だったグアナフアト		

ワンポイント解説
スペイン継承戦争

「朕は国家なり」と宣言した、フランス・ルイ14世の后がスペイン・ハプスブルク家のマリー・テレーズであったため、1700年にスペイン王が亡くなったとき、跡継ぎ問題でフランス、スペイン、オーストリアなどの思惑のなか、ルイ14世の孫にあたるフィリップがスペイン王フェリペ5世として即位したため、フランスの勢力拡大を恐れるイギリス、オランダ、オーストリアが宣戦布告をしました。結果的には、ユトレヒト条約によってイギリスは各地の領地を得ました。

享保の改革を行う　1701〜1730

オリエント・インド・東南アジア	北・東アジア	日本	
		1707 富士山が噴火する	江戸時代 1701
▲中国、承徳避暑山荘（1702年、康熙帝が造る）		歌川広重作、浮世絵に見る宝永火口▶	
		1709 徳川綱吉が死に、生類あわれみの令が終わる	
		1709 第6代将軍・家宣が新井白石を登用する	1710
1714 ムガル帝国・マラータの執政が始まる	1715 イギリス・広東に商館を設置する		
▲インド、ムガル帝国	1717 広東省で地丁銀制の税を実施、以後各省で行われる	1716 第8代将軍に徳川吉宗がつき（〜1745）、享保の改革を行う	
		注目しよう！ 徳川吉宗は徳川宗家（本家）以外の御三家・紀州徳川家出身なので、過去のやり方にとらわれない改革を断行できました。	1720
1721 ビルマに初めてキリスト教が伝わる	1727 清がロシアとキャフタ条約（国境と商業の取り決め）を結ぶ	1721 目安箱を設置する	
ムガル帝国の支配地が次第に縮小し、衰退に向かう		1724 倹約令を出す	1730

享保の改革

徳川吉宗による江戸時代の幕府改革で、幕府政治を立て直すために武芸や倹約を奨励。さらに有能な人材を用いるための制度や庶民の声を直接聞く目安箱を設けました。また財政を安定させるために大名に米を出させる政策を実施しました。

2つの戦争でプロイセンが台頭、英仏の

	南・北アメリカ		ヨーロッパ
1731	1732 北米のイギリス植民地が13州となる	1740	オーストリア継承戦争（プロイセン・フランス・スペインなどがオーストリア・イギリスと戦う）（～1748）
1740		1740	プロイセン・フリードリヒ2世（大王）が即位（～1786）
	ジョージ2世▶	1740	オーストリア・女王マリア＝テレジアが即位（～1780）
	1744 ジョージ王戦争が起こる（オーストリア継承戦争に連動したイギリスとフランスの植民地戦争）（～1748）	1748	アーヘンの和約（オーストリア継承戦争終結）
1750	1750 マドリード条約が結ばれる		
	1754 フレンチ＝インディアン戦争（ヨーロッパの七年戦争より2年早く始まった、北米でのイギリスとフランスの植民地戦争）（～1763）	1756	七年戦争が始まる（イギリスの支援を受けたプロイセンと宿敵だったフランスと手を組んだオーストリアとの争い、プロイセンが勝利する）（～1763）
1760	▲フレンチ＝インディアン戦争「アブラハム平原の戦いで倒れるウルフ将軍」		

注目しよう！
プロイセンはオーストリア継承戦争で戦ったイギリスと16年後の七年戦争ではいっしょになって戦っています。理解しにくい面もありますが日本の戦国時代と同じような時代だったのです。

18世紀半ばのヨーロッパ
三十年戦争（1618～1648）で荒廃したドイツでは、被害の少なかった北東部の「プロイセン」がスペイン継承戦争（1701～1713）で王国となりました。フリードリヒ1世が絶対王政の基礎をつくり、フリードリヒ2世（大王）がオーストリア継承戦争で資源豊かなシュレジェンを占領するなど、経済面でもオーストリアと肩を並べる大国になりました。また大王は芸術を愛し、フランス文化を尊重、君主主導で上から改革を進めました。

▲フリードリヒ2世

争いもさらに激化 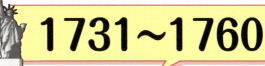 1731〜1760

オリエント・インド・東南アジア	北・東アジア	日本	
	乾隆帝(1735〜1795)　清の第6代皇帝。10回の遠征に勝利して十全武功と言い、これにより清の領土は最大規模に広がりました。この時期に文化が栄えました。また、キリスト教の布教を禁止しました。	1732 享保の飢饉が起こる　1733 江戸で打ちこわしが起こる(前年の飢饉による米不足で、江戸で初めての打ちこわしが発生)	江戸時代　1731　1740
1742 ムガル帝国でイギリスとフランスの植民地戦争が起こる	1747 清・キリスト教の布教を厳禁する	1749 会津藩で大一揆が起こる　田沼意次▶	
1752 ビルマにアラウンパヤ朝が興る(〜1885)			1750
1757 プラッシーの戦い(インドのイギリス勢力が確立する)　英国軍人ロバート・クライブ▶	1754 ジュンガル部のアムルサナが清に亡命する　1757 清・外国貿易を広州1港に制限する	1760 第10代将軍に徳川家治が就任。登用された田沼意次は、田沼時代(1767〜1786)をつくる(この頃、米を中心とする経済が時代に合わなくなってきていたので、田沼は商業資本を重視する経済政策を行った)	
1758 ジャワをオランダの勢力が覆う			1760

白川郷
岐阜県の庄川流域にある合掌造り集落です。独特の景観をなす集落が世界遺産にも登録されています。現在の合掌造りになったのは1700年代(江戸時代)で、当時の風景が今も残っています。

アメリカ13州が独立宣言、イギリスでは

		南・北アメリカ		ヨーロッパ
1761	1763	パリ条約により、フランスはアメリカの植民地の多くを失う	1763	イギリスとフランスの争いが終わり、パリ条約が結ばれる
	1765	印紙条例を発布するが、植民地人の反対で翌年に撤回される	1769	ジェームズ・ワットが蒸気機関を改良、動力として利用される。さらに紡績機械の発明などもあり「イギリスの産業革命」が進行する
1770	1773	ボストン茶会事件が起きる		
	1775	アメリカ植民地の独立戦争が起こる	1772	オーストリア・プロイセン・ロシア間の第1次ポーランド分割が行われる
1780	1776	アメリカ13州、独立宣言を行う	1783	パリ条約でイギリスがアメリカの独立を承認する
	1789	初代大統領ジョージ・ワシントンが就任する	1789	バスティーユ牢獄の襲撃が起き、フランス革命が始まる
1790				

注目しよう！
イギリスがつくった13の植民地はいわばアメリカの原点。独立後、100年もかからずに超大国への基盤をつくったアメリカのスピードに注目しましょう。

◀バスティーユ襲撃

アメリカ独立戦争
イギリスの植民地支配の仕方は、比較的ゆるやかなものでした。政治的には植民地議会を中心とする自治が認められていました。このような中で独立の声が挙がると、イギリスと対立していたフランス、スペイン、オランダが支援、武装中立同盟の国々も間接的に支援。孤立したイギリスは、1783年のパリ条約でアメリカの独立を承認します。

アメリカ13植民地 ←対立→

 強力に支援 ← 支援 → 対抗

フランス スペイン オランダ

武装中立同盟
ロシア
デンマーク
プロイセン

産業革命 ……… 1761～1790

オリエント・インド・東南アジア	北・東アジア	日本		
1762 イギリスがマニラを占領する(フィリピン)	1765 清の雲南にビルマ軍が侵入する(中国)	1765 関東の農民20万人の大一揆が起こる	江戸時代	1761
▲マニラにあるイントラムロスのコロニアル様式の家屋	1777 清・甘粛の人にウルムチ地方の開拓を命ずる	この頃、各地で一揆が起こる		1770
1775 インド地域・第1次マラータ戦争(マラータ同盟に英仏が介入して交戦)(～1782)		1782 天明の大飢饉が起こる(～1787)		1780
	1784 甘粛の回民(イスラム教徒)の反乱が起こる	1784 蝦夷地の開拓が進む		
1782 タイ・プラヤ＝チャクリ(ラーマ1世)の即位でバンコク朝が興る		1787 天明の打ちこわしが起きる		
		1787 松平定信が老中となり、「寛政の改革」を行う(～1793)		
▲ラーマ1世	▲城のような山、中国、青城山(入口の門)	松平定信▶		1790

アメリカ合衆国独立記念館
1776年ここで独立が宣言されました。

ジェームズ・ワット
1736年、スコットランド生まれのワット。シリンダーと冷却器を分離したワット式蒸気機関を考案、1769年に特許を取得し、ワット(馬力)という単位も作っています。

フランス革命のあと、皇帝ナポレオンが

		南・北アメリカ		ヨーロッパ
1791	1800	アメリカ1800年の革命（選挙による政権交代の初め）。ワシントン市が首府となる	1793	フランス・国民公会の議決でルイ16世を公開処刑
			1793	ロベスピエールが率いるジャコバン派が王妃マリー・アントワネットの処刑、恐怖政治を行う。その翌年にロベスピエールは処刑
1800		初代大統領ジョージ・ワシントン▶	1795	5人の総裁からなる「総裁政府」が成立、フランス革命が終結
	1801	第3代大統領、トーマス・ジェファーソンが就任（～1809）	1799	ナポレオンが総裁政府を倒し、統領政府を立て、自ら第一統領となる⬇
	1803	アメリカ・フランスよりルイジアナを買収	1804	国民投票で皇帝ナポレオン1世となり、「ナポレオン法典」を出す
	1804	ラテンアメリカのハイチが独立	1805	ナポレオンはオーストリア、神聖ローマ帝国を破り、1812年までにロシアに侵入
	1809	第4代大統領、ジェームズ・マディソンが就任（～1817）	1806	ナポレオンはプロイセンを破りイギリスとの貿易を禁ずる「大陸封鎖令」を出す
1810				

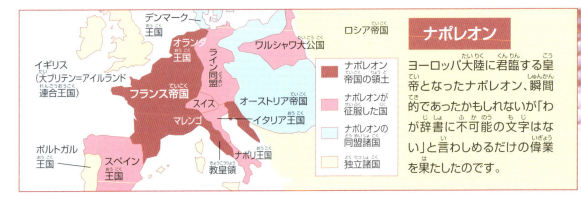

ナポレオン

ヨーロッパ大陸に君臨する皇帝となったナポレオン、瞬間的であったかもしれないが「わが辞書に不可能の文字はない」と言わしめるだけの偉業を果たしたのです。

ヨーロッパに君臨 1791〜1810

オリエント・インド・東南アジア	北・東アジア	日本		
		1792 ロシア使節ラクスマンが根室に来航する	江戸時代	1791
	1793 イギリスの使節・マカートニーが北京に来る			
▲中国、玉龍雪山		▲開拓前の蝦夷(北海道)の風景が残る知床		
1796 イランにカージャール朝が成立する(〜1925)	1796 白蓮教徒の乱が起こる(〜1804)	1797 イギリス船が蝦夷地に来航する		1800
1802 ベトナム・フランスの支援を受けた阮福暎が西山朝を倒し、阮朝を起こし、ベトナムを統一する	1801 朝鮮・キリスト教徒に対する大迫害が行われる	1802 幕府、蝦夷奉行を置く		
		1804 ロシア使節レザノフが長崎に来航する		
1805 ムハンマド＝アリーがエジプトを支配し、総督となる		1808 江戸湾沿岸で砲台の建設が始まる		
◀ムハンマド＝アリー		1808 間宮林蔵が樺太を探険する		
	▲ミャンマー、ヤンゴンの仏塔			1810

注目しよう！

1789年のバスティーユ牢獄の襲撃からナポレオンが皇帝になる(1804年)までがわずか15年。この間にフランス革命があり、ナポレオンが島流し(エルバ島)になったのは1814年、激変のスピードが加速していることに気づきましょう。

◀ナポレオン

ヨーロッパはウィーン体制、日本は外国船

	南・北アメリカ		ヨーロッパ
1811	1812 アメリカがイギリスに宣戦（〜1814）	1812	ナポレオンがロシアに遠征するが、失敗に終わる
	1818 チリ独立	1813	諸国が解放戦争に立ち上がり、「ライプチヒの戦い」（諸国民戦争）でナポレオンを破る。同年、ルイ18世が即位する
	1820 ミズーリ協定が結ばれる（北緯36度30分以北に奴隷州をつくらないと定める）	1814	ウィーン会議が開催される（ナポレオン帝国の領土の処理のための国際会議）⬇
1820	1821 ペルー独立、メキシコ独立	1815	ワーテルローの戦いで大敗したナポレオンはセントヘレナ島に流される
	1823 第5代大統領ジェームズ・モンローがアメリカ大陸とヨーロッパが互いに干渉しないという、モンロー教書を出す		ワーテルローの戦い▶
		1815	ウィーン議定書が締結される（〜1848）
		1821	ギリシア独立戦争が始まる（〜1829）
		1825	イギリス・商業恐慌が起こる
	第5代大統領 ジェームズ・モンロー▶		
1830		1830	フランスで七月革命が起こる

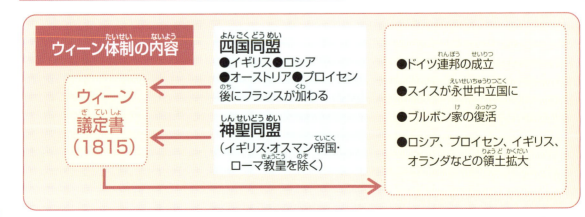

ウィーン体制の内容

四国同盟
- イギリス ●ロシア
- オーストリア ●プロイセン

後にフランスが加わる

ウィーン議定書（1815）

神聖同盟
（イギリス・オスマン帝国・ローマ教皇を除く）

- ドイツ連邦の成立
- スイスが永世中立国に
- ブルボン家の復活
- ロシア、プロイセン、イギリス、オランダなどの領土拡大

を打ち払う体制へ　1811〜1830

オリエント・インド・東南アジア	北・東アジア	日本	
			江戸時代　1811
1815 セイロン島がイギリス領となる	1813 清・アヘンの販売を禁ずる	1811 ロシア軍艦が蝦夷地に来航、艦長ゴローニンを捕らえる	
1816 オランダがジャワを回復する	1815 清・アヘンの輸入を厳禁する	1815 杉田玄白が「蘭学事始」を書く	
	1816 清・イギリス使節アマーストが来る	1817 イギリス船がしばしば浦賀沖に現れる(〜1822)	
			1820
	1818 清・内地の民が蒙古地方に入ることを禁ずる	1823 ドイツ人・シーボルトが長崎に来る	
▲1814年、密林の中で発見された、ジャワ、ボロブドゥール遺跡		シーボルト生誕200年を記念したドイツの切手▲	
1819 イギリスがシンガポールを領有する		**シーボルト(西洋医学を紹介)**　1824年鳴滝塾を開設し、医学教育を行う。高野長英・伊東玄朴・伊藤圭介らに西洋医学を講義	
1828 トルコマンチャーイ条約が結ばれる	イランがロシアにコーカサスを譲る		
1828 ロシア・トルコ戦争が起こる(〜1829)		1825 異国船打払令が出る(清・蘭船以外の船)	1830

ウィーン会議

注目しよう！
ヨーロッパを我が物にするようなナポレオンの勢力が衰退すると、ウィーン会議で再び領土の線引きをやり直します。ヨーロッパを客観的に見れば、仲良し同士の喧嘩の繰り返しという冷めた見方もできそうです。

1848年のヨーロッパ、主役は民衆。日本では

	南・北アメリカ		ヨーロッパ
1831	1833　アメリカ反奴隷制協会設立	1832	イギリス・第1回選挙法改正（選挙区や選挙権の大幅な変更）
	1835　テキサス独立戦争が起こる	1833	イギリス・工場法を制定（労働条件が少し改善される）
1840	フランス、エトワールの凱旋門。1836年完成▶	1837	イギリス・ヴィクトリア女王が即位（〜1901）◀ヴィクトリア女王
		1846	イギリス・穀物法（穀物の輸入に高率の関税をかける）が廃止され、自由貿易政策が実施される
	1846　アメリカ・メキシコ戦争が起こる（〜1848・メキシコはカリフォルニア、ネバダなど国土の3分の1を失う）	1848	フランス・2月革命、ドイツ・オーストリア3月革命、イギリス、イタリアでも3月革命が起こる⬇ フランス・大統領ルイ・ナポレオンが即位 マルクスの「共産党宣言」出版
1850	1848　カリフォルニアに金鉱が発見される〈ゴールドラッシュ〉		

注目しよう！
ナショナリズム（日本語では国家主義、国民主義、民族主義などの言葉になります）とは何かということを考えてみましょう。

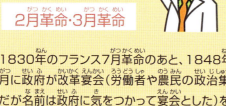

ワンポイント解説
2月革命・3月革命

1830年のフランス7月革命のあと、1848年2月に政府が改革宴会（労働者や農民の政治集会だが名前は政府に気をつかって宴会とした）を禁止したことをキッカケに怒った民衆が蜂起を成功させます。国王ルイ・フィリップは亡命、その後フランスに国王が現れていません。この成功はヨーロッパ各地に伝わり、3月にはオーストリアのウィーンで「ウィーン3月革命」、プロイセンで「ベルリン3月革命」、イギリスではチャーティスト運動（人民憲章の採用の要求）になります。1848年の春に起こった、この2つの革命は「諸国民の春」ともいわれています。同じころ、日本では農民らが一揆を行い、革命まではいきませんでしたが、政府（幕府）は、何らかの改革をしなければならない状況に追い込まれています。

「天保の改革」を行う

1831〜1850

オリエント・インド・東南アジア	北・東アジア	日本	
1833 トルコがエジプトの自立を承認する	1839 清・林則徐がアヘンを没収・焼却	1833 天保の大飢饉が起こる、洪水・冷害が1839年まで続く	江戸時代 1831
1839 エジプト・トルコ戦争が起こる	1840 アヘン戦争が起こる（清・イギリス軍に連敗）	1837 大塩平八郎の乱が起こる。アメリカ船のモリソン号が浦賀に来る	
1840 エジプト・ムハンマド＝アリーの世襲王権が許される	▲中国船を攻撃するネメシス号	モリソン号▶	1840
	1842 南京条約が結ばれる（清は香港島を譲り5つの港などを開港する）	1841 水野忠邦が「天保の改革」を行う（〜1843） ⬇	
▲インド、アグーラ城。19世紀はイギリスの植民地		1844 オランダ国王、日本に開国を進言する	
	1847 ロシア・ムラヴィヨフが東シベリアの総督となる	1849 イギリス船が浦賀に来る	
			1850

水野忠邦

1794年生まれ、1834年に老中となり「天保の改革」を行う、1851年没。「天保の改革」は、外国の船が日本近海に相次いで出没して日本をおびやかす中、年貢米の収入が激減していても、幕府は財政的に打つ手を見つけられないでいました。天保8年(1837年)に徳川家慶が第12代将軍に就任したのをきっかけにして、水野忠邦が力を発揮できるようになり、天保の改革に着手しました。農村から多くの農民が逃げて江戸に入って来たため、農村を復興するため人返し令を出しました。1843年(天保14年)9月には上知令(江戸・大坂の近くにある大名・旗本の領地を幕府に返上させようとして大名・旗本の反対にあう)に失敗し、老中の職を失いました。

アメリカで南北戦争、日本では幕府が倒れ、

	南・北アメリカ		ヨーロッパ
1851		1851	イギリス・ロンドン万国博覧会を開催
	▲1872年、世界最初の国立公園となったイエローストーン。オールド・フェイスフル・ガイザーと呼ばれる熱水の間欠泉。北アメリカ、ロッキー山脈にある	1852	フランス・第2帝政が成る（〜1870）
		1853	ロシアが南へ進軍してクリミア戦争が起きる（〜1856）
1860			ウェストミンスター宮殿（イギリス） ◀1834年の火災の後、1860年に今のかたちに再建される
1861	エイブラハム・リンカーンが第16代大統領に就任（〜1865）エイブラハム・リンカーン▶	1861	イタリア王国が成立（義勇軍を組織したガリバルディが活躍）
1861	南北戦争が起こる（〜1865）	1862	プロイセン（ドイツ）・ビスマルクが首相に就任 ビスマルク▶
1863	リンカーンが黒人奴隷解放宣言をする		
1865	憲法修正で黒人奴隷を解放	1866	プロイセン＝オーストリア戦争（オーストリアが敗れる）
1867	ロシアよりアラスカを買収	1867	北ドイツ連邦が成立（〜1871）
1869	大陸横断鉄道が完成する	1870	プロイセン＝フランス戦争が起こる
1870			

ワンポイント解説

アメリカ南北戦争
綿花の一大供給地「南部」と工業化する「北部」の対立。奴隷廃止論者のリンカーンが大統領に当選。1861年、南部11州が「アメリカ連合国」として、北部から分離を図ります。リンカーンは認めず、南部が実力行使に出て南北戦争が起こりました。

クリミア戦争
ロシアがオスマン帝国領内のギリシア正教徒保護を理由に南下。イギリス、フランスなどが参加し大戦争となったが、ロシアは大敗しました。

明治政府が誕生する 1851～1870

オリエント・インド・東南アジア	北・東アジア	日本	
	1851 清・太平天国の乱が起こる（洪秀全が南京などを占領）	1853 アメリカ・ペリー艦隊が浦賀沖に来る	江戸時代 1851
▲フィリピン・コルディリェーラの棚田群		1854 日米和親条約（下田・箱館の開港などを約束）	
1858 ムガル帝国が滅び、イギリスが直接統治。イギリス領インドとなる。東インド会社を解散	1856 アロー戦争が起こる（イギリスがフランスとともに清に出兵）（～1860）	1854 イギリス、ロシア、オランダなどと和親条約を結ぶ	
		1858 井伊直弼が日米修好通商条約に調印する	
1862 第1次サイゴン条約が成立（フランスがコーチシナの一部を領土とする）	1858 アイグン条約でロシアが黒龍江以北を領土とする	1858 安政の大獄（井伊直弼が攘夷派を弾圧）	
1867 イギリスがマラヤ海峡植民地を直轄領とする	1860 北京条約が成立（イギリス・フランス連合軍が北京を占領、天津など11の港を開港）	1860 桜田門外の変（井伊直弼が暗殺される）	1860 明治時代
1869 エジプト・スエズ運河が開通する		1867 大政奉還・明治天皇が即位（～1912）	
		1868 明治維新が起こる ⬇	
▲1860年、建設中のスエズ運河〈イスマイリア地区〉			1870

明治維新

日本の大転換期。坂本竜馬、西郷隆盛などの活躍により王政復古の流れが生まれ、明治政府が誕生しました。

▲高知県桂浜に建つ、「坂本竜馬」の像

注目しよう！

幕末から明治維新にかけて、日本を左右するさまざまな人物が活躍します。歴史の背景を見ながら調べてみましょう。

ベルやエジソンが登場、ビスマルク体制が

	南・北アメリカ		ヨーロッパ
1871		1871	ドイツ帝国が成立、ビスマルクはヴィルヘルム1世をドイツ皇帝とし、自ら宰相となって国を動かす
1873	金融恐慌が起こり、ニューヨーク証券取引所が一時閉鎖		
1875			
1876	ベルが磁石式電話機を発明する ▶アレクサンダー・グラハム・ベル	1877	ロシア・トルコ戦争が起こる、ロシアは翌年の「サン=ステファノ条約」でブルガリアを保護下におこうとする
1877	エジソンが蓄音機を発明する		最大の激戦地 シプカ峠の戦い▶
	▲ケルン大聖堂（ドイツ） 1248年に着工され、中断していた建物の図面が1814年に見つかり、工事が再開。1880年（632年後）に完成	1878	ビスマルクが「ベルリン会議」を開き、その結果サン=ステファノ条約は無効となり、ベルリン条約が結ばれる
1880			
1882	ロックフェラーがスタンダード石油トラストを組織する	1881	三帝協商が結ばれる（ドイツ、オーストリア、ロシア）
1882	アパッチ族の反乱が起こる（～1886）	1882	三国同盟が結ばれる（ドイツ、オーストリア、イタリア）
1885			

ベルリン条約とビスマルク体制

ベルリン条約でロシアの勢力がおさえられるとともに、ルーマニア、セルビア、モンテネグロの独立が承認され、ブルガリアはオスマン帝国宗主権下の自治国とされます。さらにイギリスはキプロスの統治権、オーストリアはボスニア・ヘルツェゴヴィナの統治権を獲得します。ビスマルクはこの後も三帝同盟や三国同盟によって、フランスを孤立させますが、どこの国も簡単には動けない状態を作り出しました。これをビスマルク体制と呼んでいます。

▲ビスマルク

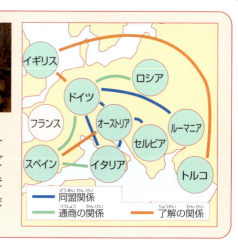

同盟関係　通商の関係　了解の関係

まれ、日本は文明開化 **1871～1885**

オリエント・インド・東南アジア	北・東アジア	日本	
		1871 廃藩置県が行われる（全国を政府の直轄地とする）	明治時代 1871
▲石灰が沈殿して白い棚田のようなパムッカレ（ヒエラポリス/トルコ）	1881 イリ条約が成立する（清はロシアに有利な国境を引かれる）	1872 新橋・横浜間で鉄道開通、太陽暦が採用される	
1877 イギリス領・インド帝国が成立する（イギリスのヴィクトリア女王がインド皇帝を名乗る）	1884 清仏戦争（ベトナムをめぐってフランスとの間に戦争が起こる）	浮世絵に描かれた開業当初の鉄道（横浜）▶ 1875 ロシアと千島樺太交換条約が結ばれる	
		1876 日朝修好条規（江華条約）が結ばれる	1875
1883 ユエ条約が成立（フランスがベトナムの北部と中部を支配下におく）	1885 天津条約が結ばれる（ベトナムへのフランスの保護権を認める）	1877 西南の役が起こる（西郷隆盛対政府軍）	
1885 第1回インド国民会議が開催される		1885 内閣制度がつくられる	1880 1885

文明開化

鎖国がとかれて、西洋文化が入ってくると、日本は急速に西洋文明を取り込みました。この動きは流行となって様々な社会階層に受け入れられ、散髪、洋装、洋食など、都市を中心に暮らしが変わりました。1872年に蒸気機関車が運行開始。蒸気船、電信、郵便制度、レンガ建築、ガス灯、官営工場などのしくみや方法、また、刀を持つことをやめ、すき焼き、牛乳、ランドセル、新聞、雑誌、太陽暦など、変化は生活全般にわたります。

注目しよう！

250年余りの鎖国のあと、明治政府ができると10年も経たないうちに鉄道を開通し、太陽暦を採用し、外国と交渉をします。この時代の変化に対する順応性の高さは良くも悪くも、日本人の特質といえるのでしょう。

ヨーロッパ、アジア、アメリカが線で結ばれた

	南・北アメリカ		ヨーロッパ
1886	1886 アメリカ労働総同盟が結成される	1889	フランス・第2インターナショナルが結成される（～1914）
	1889 アメリカ合衆国主催のパン＝アメリカ会議が開かれる（ラテンアメリカ全般にわたって、ヨーロッパ諸国の影響を排除し、指導力を強める）	1890	ドイツ・ビスマルクが引退する
1890		1894	ロシア・フランス同盟が結ばれる（ロシアはドイツへの反感から、フランスは外交的な孤立から脱するため）
1895	**自由の女神** アメリカ合衆国独立100周年を記念してフランスより贈られ、1886年に完成。アメリカに渡る人を迎えています。	1894	フランス・ドレフュス事件が起こる（ユダヤ系の軍人ドレフュスの裁判で軍部は信用を失う）
		1898	ファショダ事件が起こる（アフリカでイギリスとフランスが衝突、フランスが譲歩する）
	1898 アメリカ＝スペイン戦争が起こる ⬇		
	ハバナで爆沈したアメリカ海軍 ACR-1 メイン ▶	1899	南アフリカ戦争が起こる（イギリスがオレンジ自由国とトランスヴァール共和国を併合する）
1900	1899 中国の門戸開放を要求する		

ワンポイント解説

アメリカ＝スペイン戦争

スペインの植民地キューバで内乱が起き、ハバナ港でアメリカの戦艦が爆破されたとして、アメリカがスペインに宣戦布告。アメリカはスペインの植民地フィリピンを攻撃してマニラを占領します。スペインはキューバの独立を認め、グアムもアメリカに譲ります。

注目しよう！

国の成り立ちも面積も国内事情も異なる、日本とアメリカが1890年代という同時期に戦争に踏み出し、国外に拠点を設けたことが40数年後の第二次大戦につながっているのかもしれません。

ように動きだす ...... **1886～1900**

オリエント・インド・東南アジア	北・東アジア	日 本		
1886 イギリスがビルマ戦争に勝ちビルマをインドに併合する	1894 朝鮮・甲午農民戦争（東学党の乱）が起こり、清軍が鎮圧のために出兵、日本も軍隊を派遣、日清戦争となる（～1895）	1889 大日本帝国憲法が発布される⬇	明治時代	1886
1887 フランス領インドシナ連邦が成立する		1890 第1回衆議院議員総選挙が実施される		1890
1895 イギリスがマレー連合州を成立させ、マレー半島の支配を確立する		1894 日清戦争（～1895）		
		1895 清に勝利した日本は、下関条約を結ぶ		
	1898 清・「戊戌の変法」で政治の革新を断行、これに反対する「戊戌の政変」が起こる	下関で行われた日清講和条約締結▶		
1898 アメリカがスペインの植民地グアム・フィリピンを獲得する		1895 下関条約で日本の領有となった、遼東半島を三国干渉（ロシア、ドイツ、フランス）によって清に返還する		1895
1900 パン＝アフリカ会議が開かれる（アフリカが植民地主義と人種差別に反対）	1900 清・義和団事件が起こる	1897 金本位制が確立する。官営八幡製鉄所が設立される		
	8カ国連合軍▶			1900

シャトー・フロントナック（カナダ）
▲1892年に造られたケベックのホテル

大日本帝国憲法

1885年に内閣制度がつくられ、初代内閣総理大臣となった伊藤博文が中心になってつくり、1889年（明治22年）2月11日、「大日本帝国憲法」として公布され、国民に公表されました。これにより日本は東アジアで初めて近代憲法をもつ、立憲君主国になりました。当時の人々や新聞各紙も、大日本帝国憲法を高く評価して憲法の発布を祝いました。

イギリス・ドイツがにらみ合う中、20世紀初の大戦争

	南・北アメリカ	ヨーロッパ	ロシア・ソ連
1901	1901 セオドア・ルーズベルト大統領就任	1901 オーストラリア連邦が成立する	1903 ロシア社会民主労働党、ボリシェヴィキとメンシェヴィキに分裂
1903	2005年9月6日 アメリカ・メーン州のポーツマス海軍工廠で行われたポーツマス条約締結100周年記念式典。写真提供 共同通信社		
			1904 日露戦争が起こる(〜1905)
	1904 パナマ運河の工事が始まる(〜1914)	1904 英仏協商が調印される	
	1905 世界産業労働者組合(IWW)が成立する	1905 第1次モロッコ事件が起こる	1905 血の日曜日事件が起こる
1905			

日露戦争

日露戦争は、1904年に日本が旅順港を奇襲攻撃したことで開始。日本は戦費をイギリス・アメリカから借金しました。一方、ロシアは食料事情が悪化し、1905年1月に首都ペテルブルクで起こった「血の日曜日事件」(請願行進する10万人を超える人々に軍隊が発砲)をきっかけにストライキや農民運動が全土に広がりました。ロシアは戦争の続行がむずかしくなり、5月にバルチック艦隊が敗れた後、講和に向かいました。アメリカ大統領セオドア・ルーズベルトが日露両国に停戦を斡旋し、9月にポーツマス条約が結ばれました。

◀ポーツマスにおける日露両政府代表団

◀日本海海戦で連合艦隊の旗艦として活躍した「三笠」

日露戦争が起こる …… 1901～1905

アフリカ、西・南・東南アジア	北・東アジア	日本	
			1901
1902 南アフリカ戦争（ボーア戦争）が終結する  オランダ系ボーア人の人々[1880年代]▶	1901 北京議定書（義和団事件最終議定書）が調印される	1902 日英同盟が締結される  ▲日英同盟によりガーター勲章を受ける明治天皇	明治時代
	1905 孫文が東京で「中国同盟会」を組織  ▲孫文	1904 日露戦争が起こる（～1905）⬇	1903
1905 インド、ベンガル分割令が発表される（イギリスによる民族運動の分断）	1905 科挙制度が廃止される	1905 ポーツマス条約が結ばれる	
			1905

注目しよう！

日露戦争は朝鮮の支配をめぐる日本とロシアの戦いでした。ロシアの南下はイギリスもアメリカも警戒しており、日英同盟を結ぶことで日本にロシアをおさえさせようという背景もありました。

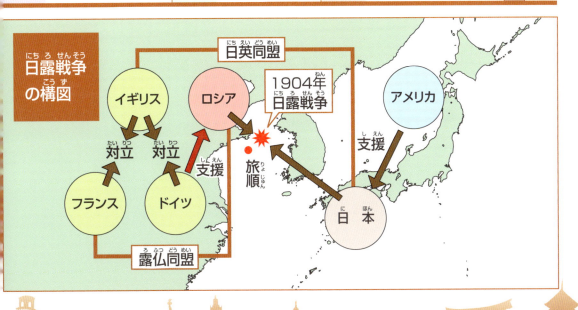

日露戦争の構図

「第1次世界大戦」前夜、世界の強国が

	南・北アメリカ	ヨーロッパ	ロシア・ソ連
1906	1907 現在のカナダ東海岸・ニューファンドランドがイギリス自治領となる（1949年にカナダに併合される）	1906 イギリス・1900年に結成された労働代表委員会が「労働党」となる 初代党首 ケア・ハーディ▶	1906 ストルイピンが首相に就任（〜1911・農業革新を試みるが失敗） ピョートル・ストルイピン▶
1907	▲1903年、ライト兄弟が、「ライトフライヤー号」で、世界初の有人動力飛行に成功	1907 英露協商が結ばれ、三国協商が成立する	
1908 1910	1908 日米紳士協定が結ばれる（日本人労働者のアメリカへの渡航を禁止するが、アメリカ在住日本人に差別待遇などをしない協定）	1908 オーストリア・管理下のボスニア・ヘルツェゴヴィナを併合する 1910 イギリス領の南アフリカが自治領となる	1908 ポーランドが土地収用法を適用する。これによりオーストリアとの関係が悪化する

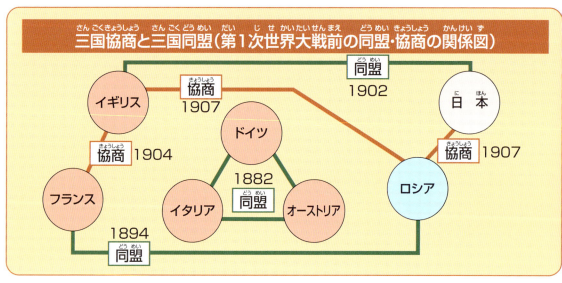

三国協商と三国同盟（第1次世界大戦前の同盟・協商の関係図）

80

動きだす 1906〜1910

アフリカ、西・南・東南アジア	北・東アジア	日本	明治時代
1906 イラン・民族意識が高まり立憲革命が起こる（1911年、ロシアは武力でこの議会を閉鎖）	1908 清・憲法大綱を発表し、国会開設を公約する	1906 韓国統監府を設置する	1906
1906 インド・カルカッタ国民会議が開かれる	▲清朝皇帝時代の溥儀〈右〉と、父・醇親王載ホウに抱かれた弟・溥傑		1907
1908 トルコ・青年トルコ党が革命を起こし、政権を握る	1908 清・宣統帝（溥儀）が即位する。清朝最後の皇帝となる	1909 伊藤博文がハルビンで暗殺される 初代総理大臣伊藤博文[1841〜1909年] ▶	
 ▲カッパドキア（トルコ）	1910 韓国併合となる	1910 朝鮮総督府を置く	
		1910 大逆事件が起こる	1910

注目しよう！
日韓併合は35年という長きに亘って行われていました。今日の日本での韓国スターのブーム、また北朝鮮との問題などがありますがこの35年間の様子について調べてみましょう。

韓国併合

1910年、韓国併合によって大韓帝国（現在の韓国と北朝鮮）は消滅し、日本はその領土であった朝鮮半島を領有、1945年までその支配は続きました。その背景に1876年の日朝修好条規、そして日清戦争、日露戦争と続くなかでの韓国の統治（植民地化）がありました。

▲韓国の古い民家

大逆事件

無政府主義者による明治天皇暗殺計画という理由で、幸徳秋水・管野スガたち社会主義者26名が1910年に起訴されます。翌年、全員が有罪、幸徳や管野ら12名が死刑になりました。以後、社会主義運動は不振となりました。

▲幸徳秋水

ついに最初の世界大戦（第1次）が起こる

	南・北アメリカ	ヨーロッパ	ロシア・ソ連
1911		1911 フランス・第2次モロッコ事件が起こる ⬇	1912 ロシア指導の下、バルカン同盟が結成される（セルビア、ギリシア、ブルガリア、モンテネグロの4カ国）
	1913 ウッドロウ・ウィルソンが第28代大統領に就任（「新しい自由」＝庶民のための改革を実行）	1912 第1次バルカン戦争が起こる ⬇	
1913	ウッドロウ・ウィルソン▶	1913 第2次バルカン戦争が起こる ⬇	
	▲サグラダ・ファミリア教会（スペイン）1882年に着工、ガウディは1926年に亡くなるまで建設に取り組みました	1914 6月サラエボ事件が起こる	
		7月 オーストリアがセルビアに宣戦する 8月 ドイツがロシアに宣戦する 第1次世界大戦が始まる（～1918）	
	1914 アメリカ・欧州の戦争に中立を宣言する	1915 イタリアがオーストリアに宣戦、連合国側につく	サラエボ事件で殺害されたオーストリア・ハンガリー帝国皇太子フランツ・フェルディナント［1864～1914年］▶
1915	1914 パナマ運河が開通する		

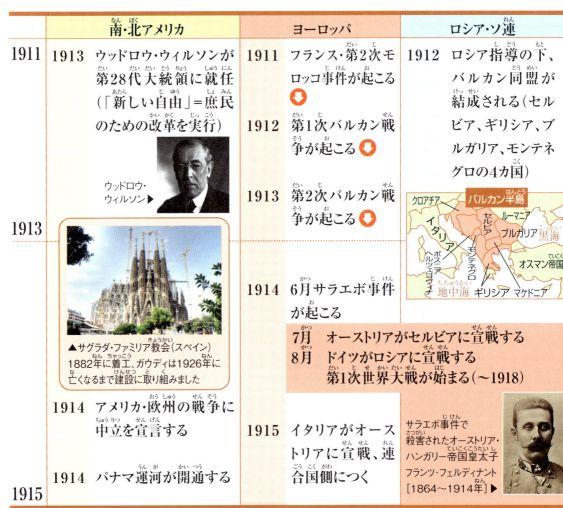

第1次世界大戦（第1次世界大戦中のヨーロッパ）

1914年ボスニアの州都サラエボでオーストリア・ハンガリー皇太子夫妻がセルビア人に暗殺されます。これを契機に始まった第1次世界大戦。ロシアはセルビア、ドイツはオーストリアを支援します。戦争は「三国協商」諸国（連合軍）と「三国同盟」諸国の戦いとなりました。

日本は大正時代へ 1911～1915

アフリカ、西・南・東南アジア	北・東アジア	日本	大正時代
			1911
1911 インドネシアにイスラーム連盟（サレカット＝イスラーム）が成立する	1911 清・辛亥革命が起こる		
	1912 中華民国が建国される	1912 明治天皇が崩御、大正天皇が即位する（～1926）	
			1913
1915 フセイン・マクマホン協定が結ばれる（アラブ人国家を認めたイギリスとメッカの総督フセインとの協定）		1914 シーメンス事件が起こる（海軍の汚職）	
		1914 ドイツに宣戦する	
		1915 中国に二十一カ条の要求を出す（中国山東の利権を継ぐなど）	
			1915

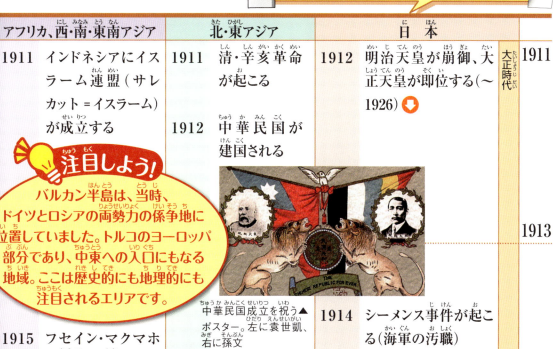
▲中華民国成立を祝うポスター。左に袁世凱、右に孫文

▲モロッコ、アイット・ベン・ハドゥ

注目しよう！
バルカン半島は、当時、ドイツとロシアの両勢力の係争地に立置していました。トルコのヨーロッパ部分であり、中東への入口にもなる地域。ここは歴史的にも地理的にも注目されるエリアです。

ヘンリー・マクマホン▶

第1次・第2次モロッコ事件
ドイツが経済的な価値がある植民地の獲得をめざし、1905年と1911年の二度にわたり、フランスのモロッコ支配に挑戦。ドイツは2回ともこれに失敗します。これには1904年の英仏協商でイギリスのエジプト支配、フランスのモロッコ支配をお互いに認め合い、ドイツはこれに反発していたという背景がありました。

第1次・第2次バルカン戦争
バルカン同盟がオスマントルコに宣戦した第1次バルカン戦争。バルカン同盟が勝利しましたが、領土分配をめぐる対立からブルガリアと同盟の3国の間の戦争へ発展、これが第2次バルカン戦争です。

大正天皇▶
1879～1926年。天皇在位は1912～1926年。病弱のため1921年には皇太子裕仁に政務を執らせていました。

ロシア革命とヴェルサイユ体制は、ほぼ

	南・北アメリカ	ヨーロッパ	ロシア・ソ連
1916			
1917	1917 アメリカ・連合国側として、ドイツに宣戦	1917 ドイツ・無制限潜水艦作戦を宣言する（指定の航路外の船を無警告で攻撃する）	1917 三月革命が起こる。レーニンが四月テーゼを示す。十一月革命が起こる
	1918 大統領ウィルソンが14カ条の声明を出す（国際連盟の設立など講和の決まりを提案）	1918 ロシアで革命が起こり、ドイツは共和国となり、ドイツ臨時政府が休戦協定を結ぶ	1918 対ソ干渉戦争が起こる（共産主義の波及を恐れる、英、仏、米、日が軍隊を派遣）
		1918 ブレスト＝リトフスク講和条約を結ぶ（ドイツとロシア革命政府の単独講和）	
	1919 パリ講和会議が開かれ、ヴェルサイユ条約が結ばれる⬇		
		1919 ドイツ・ワイマール憲法を発布する	1919 レーニンがコミンテルン（共産主義インターナショナル）を創設する⬇
		1920 国際連盟が結成	
1920			

▲1919年、国立公園に指定されたグランドキャニオン（アメリカ）

▲パリ講和会議における各国首脳の一部

注目しよう！
ロシア革命など革命と反革命がせめぎ合ったこの時代は、世界の歴史の大きな分岐点になったと言えるでしょう。

ワンポイント解説

1917年のロシア革命

▲レーニン

1917年3月に首都ペトログラードで食糧暴動が起き、これをきっかけに各地に「ソヴィエト」（労働協議会）が結成され、革命運動が広がっていきます。ソヴィエトは皇帝ニコライを退け、ロマノフ王朝を滅亡させます。これが三月革命（ロシア暦の関係で二月革命とも呼ばれる）です。革命後は臨時政府とソヴィエトの二重権力状態となりますが、ボリシェヴィキ（多数派の意味）の指導者レーニンが、権力をソヴィエトに集中し、臨時政府を倒す四月テーゼを訴えます。ボリシェヴィキは、臨時政府を倒し、社会主義政権を樹立します。これが十一月革命です。

同時に起こった… 1916〜1920

アフリカ、西・南・東南アジア

▲1919年に市民に開放された
サクレクール寺院（フランス）

1919　イギリスはインドを極めて弾圧的なローラット法で統治する。これに対しガンディーが非暴力の「非協力運動」を説く

マハトマ・ガンディー▶

1919　アフガニスタンが独立する

1920　トルコの分割に関する、セーヴル条約が調印される

北・東アジア

1917　中国がドイツに宣戦する

1919　中国、五・四運動（排日運動）が起こる

▲デモ行進する北京大学の学生

1919　三・一運動（朝鮮万歳事件）が起こる（日本の植民地支配に対し「独立万歳」を叫んだ、朝鮮全土にわたる民族独立運動）

1919　中国・中華革命党が中国国民党に改称される

日本

▲シベリア出兵［1919年］

1918　日本軍がシベリアに出兵する

1918　米騒動が起こる

1918　原敬内閣が発足する

民主主義の実現を求める社会・政治・文化運動が急速に発展した風潮を「大正デモクラシー」と呼んでいる

大正時代

1916

1917

1920

ヴェルサイユ条約

1919年1月に戦勝国側の33カ国のみでパリ講和会議が開かれます。その6月にパリ郊外のヴェルサイユ宮殿で敗戦国ドイツとのヴェルサイユ条約が調印されました。ドイツはすべての植民地を失い、アルザス・ロレーヌをフランスに返還するほか、軍備制限や巨額の賠償金の支払いが課せられました。

また、ハンガリー、ポーランド、チェコスロバキア、ユーゴスラヴィアなどが独立を果たします。このヨーロッパの新国際秩序を「ヴェルサイユ体制」といいます。

ヴェルサイユ宮殿▶

各国がそれぞれに国づくりをするなか、アメリカは

	南・北アメリカ	ヨーロッパ	ロシア・ソ連
1921	1921 ウォレン・ハーディングが第29代大統領に就任 ウォレン・ハーディング▶		1921 新経済政策「ネップ」に転換（一部、農産物の自由販売や私的営業を許す）
	1921 ワシントン会議が開かれる（～1922）⬇		
	1921 4カ国条約（日・英・米・仏）が結ばれる		1922 ソヴィエト社会主義共和国連邦が結成される
1922	**注目しよう！** アメリカ合衆国は、戦争の賠償金を貸し出すなどで、債権国になりました。大衆車T型フォードが街を走り、ハリウッドの映画産業が盛んになり、プロスポーツも人々を熱狂させました。かつてない繁栄に酔ったこの時代は「黄金の20年代」ともいわれています。	1922 イタリア・ムッソリーニのファシスト内閣が成立⬇	
		1923 フランスとベルギーがドイツのルール工業地域を占領	1924 イギリス、中国、フランス、イタリアなどがソ連を承認
		1924 ドイツ・「ドーズ案」（経済の提案）で建て直しが進む	1924 レーニン死去、スターリンが台頭する
	1923 カルビン・クーリッジが第30代大統領に就任		
	1924 アメリカ・移民法が成立する（日本をふくめアジア系移民が禁止される）	1925 スイスでロカルノ条約が結ばれる⬇	スターリン▶
1925			

ムッソリーニ
イタリア・ファシスト党を率いたムッソリーニ首相。

ワンポイント解説
ロカルノ条約
1925年、スイスのロカルノでの会議で合意された、一連の条約群の総称。ドイツ西部国境の現状維持やラインラント（ドイツ西部、ライン河沿岸の一帯。ドイツがオランダ、ベルギー、フランスと接する国境線の一帯）の非武装化などがあります。

「黄金の20年代」 1921〜1925

アフリカ、西・南・東南アジア	北・東アジア	日本	
1922 エジプトがイギリスから完全に独立する	1921 中国共産党が結成される	1921 ワシントン会議が開かれる（〜1922）4カ国条約を結ぶ	1921 大正時代
	1922 中国・ワシントン会議の9カ国条約で領土保全などが約束される		1922
▲19世紀半ばに造られた、ムハンマド・アリ・モスク（エジプト）		▲関東大震災	
1923 トルコの民族指導者ケマル・パシャが連合国とローザンヌ条約を結び、トルコ共和国を樹立する	1924 第1次国共合作を実施（共産党員が個人で国民党に入党することを認める）	1923 関東大震災が起こる	
		1925 治安維持法・普通選挙法が公布される 納税資格制限をなくし、25歳以上の男子に選挙権（女子は含まず）を認める。治安維持法は、社会主義運動の取締法	
◀ケマル・パシャ	1925 五・三〇運動（反帝国主義運動）が広がる		
1925 イラン・パフレヴィー朝が成立する（〜1979）			1925

ワシントン会議

参加国 アメリカ・イギリス・イタリア・フランス・オランダ・ベルギー・ポルトガル・日本・中国

- **4カ国条約** アメリカ、イギリス、日本、フランス 1921
  太平洋の現状維持、日英同盟の破棄
- **9カ国条約** 中国の領土保全、機会均等、門戸開放 1922
- **海軍軍縮条約** 主力艦保有比率 1922
  アメリカ5、イギリス5、日本3、フランス1.67、イタリア1.67

写真提供／共同通信社

ワシントン会議に出席する日本代表団（左上）がサンフランシスコで歓迎式典に臨む。

アメリカは「暗黒の木曜日」、中国と日本の

	南・北アメリカ		ヨーロッパ		ロシア・ソ連
1926	▲パリ（フランス）	1926	ドイツ・国際連盟に加入する		
		1927	独仏通商条約を結ぶ（独仏両国協調の時代）	1928	スターリンが「ネップ」にかわって第1次五カ年計画を実行
	1928 ケロッグ・ブリアン条約（パリ不戦条約）を結ぶ				
1928	1928 ブラジル・コーヒーの生産過剰で恐慌が起きる	1929	イタリア・ローマ教皇庁「ヴァチカン市国」独立		
	▲1929年の大暴落の後でウォール街に集まる群衆	1930	ドイツ・ヤング案が発効される		▲世界一小さな国「ヴァチカン市国」
	1929 10月ニューヨーク、ウォール街の株価大暴落「暗黒の木曜日」で世界的な経済的大恐慌が始まる	1930	ドイツ・総選挙でナチス党が勝利	1929	世界革命を説くトロツキーを国外に追放する
1930		1930	ロンドン軍縮会議で米・英・日の補助艦の保有比率が決まる		レフ・トロツキー▶

ワンポイント解説

ケロッグ・ブリアン条約（パリ不戦条約）

1928年、アメリカのケロッグ国務長官とフランスのブリアン外相の提唱で不戦条約がフランス、イギリス、ドイツ、イタリア、日本など15カ国（のちに63カ国）によって調印されました。国際紛争の解決の手段として、戦争に訴えないことが約束されました。

暗黒の木曜日（1929年10月）

株価は年内までに半分に下がり、消費が激変して失業者が激増しました。その後4年間で工業生産は半減し、1933年には1300万人、国民の4人に1人が失業、街中にホームレスがあふれました。

関係は過熱状態へ **1926～1930**

アフリカ、西・南・東南アジア	北・東アジア	日本	昭和時代
	1926 国民党を率いる蒋介石が広東から諸軍閥の平定をめざす「北伐」を始める	1926 昭和天皇・裕仁が即位する ▲昭和天皇	1926
	▲蒋介石	1927 田中義一内閣（立憲政友会）が発足する ▲田中義一	
1929 インド・全インド国民会議で完全独立を要求する	1927 3月、蒋介石は南京・上海を占領する 4月、共産党を弾圧し南京国民政府を立てる	1927 5月、日本は山東第1次出兵を行う	
1930 インド・「不服従運動」を開始した、ガンディーが逮捕される		1928 4月、日本は山東第2次出兵を行う	
1930 第1回英印円卓会議が始まる	1929 中国共産党は農村でソヴィエト区をつくる	1928 「張作霖爆殺事件」が起こる	1928
			1930

注目しよう！

この時代の中国には日本を含めアメリカ、イギリス、フランス、ロシアなどの軍隊が駐留していました。とはいえ、ヨーロッパで不戦条約を交わしていた時に、中国の山東に出兵した日本。この時代のあらゆる条約は、まさに「条約」でしかなかったからでしょうか。

▲大暴落直後のニューヨーク証券取引所の立ち会い取引

「北伐」と「張作霖爆殺事件」

日本は奉天軍閥の張作霖を第1次大戦中から育成・支援していました。張作霖の軍閥が北伐軍に敗れ、張作霖が北京から満州に列車で逃げる途中、日本軍（関東軍）参謀の河本大作によって仕掛けられた爆弾で列車ごと爆殺されました。この事件はいろいろな波紋を広げますが、中央の政府と現場の関東軍の意向にはズレがあったようです。

日本が戦争の道に歩みを進める発端と

	南・北アメリカ		ヨーロッパ		ロシア・ソ連
1931	▲ウォール街（アメリカ）	1931	イギリス・ウェストミンスター憲章が成立、各自治領はイギリス連邦の一員となる		
1932		1932	イギリス・オタワ会議で連邦内の関税下げる		▲ゲオルギ・ディミトロフ〈右〉とスターリン〈ディミトロフは1935〜1945年の間、コミンテルン書記長〉
	1933 フランクリン・ルーズベルトが第32代大統領に就任　フランクリン・ルーズベルト▶	1932	ドイツ・総選挙でナチス党第1党		
		1933	ヒトラーを首相に、ナチス政権ができる	1933	第2次五カ年計画が実施される
	1934 フィリピン（アメリカ統治）独立法が成立し、独立準備政府が発足（1935）する		アドルフ・ヒトラー▶	1934	国際連盟に加入、日本などファシズムに対抗（ソヴィエト）
		1934	ヒトラーは大統領になり、翌年国際連盟を脱退。再軍備を宣言する		
	1935 ワグナー法が成立、労働者の団結権と団体交渉権が確立する	1935	イタリアがエチオピアを侵略、翌年に併合	1935	コミンテルン第7回大会でも反ファシズムをとなえる
1935					

満州事変と満州国の樹立

満州国の建てられた地域は、およそ中国の東北部、現在の遼寧省、吉林省、黒龍江省の三省と内モンゴル自治地区の東部となります。1931年9月18日、日本の関東軍が柳条湖で南満州鉄道を爆破、関東軍は中国軍隊の行為と主張して、報復の軍事行動を開始、満州事変に発展します。これを機に日本は東北部三省を武力占領します。日本の軍事行動は国際的に批判されます。中国の提訴で国

▲満州事変で瀋陽に入る日本軍

なった満州事変 1931～1935

アフリカ、西・南・東南アジア	北・東アジア	日本	昭和時代
1932 イブン・サウードがアラビア半島の大部分を統一し、サウジアラビア王国を建設する イブン・サウード▶	1931 江西省瑞金に毛沢東を主席とする中華ソヴィエト共和国臨時政府が成立する 演説する毛沢東［1939年頃］▶	1931 9月、満州事変が起こる（～1932年3月）⬇ 1932 1月、上海事変が起こる 犬養毅▶ 1932 五・一五事件で、犬養毅首相が射殺される	1931
	1932 3月、日本が満州国を樹立する		1932
注目しよう！ 満州事変で日本の関東軍の行動は特殊なものであったのか、日本軍全体のものであったのか、考えてみましょう。 1935 インド・新しい統治法が成立、州政治のみインド人に譲る	1934 瑞金の共産党軍が国民党の攻撃を受け「長征」を実行 ※長い距離を遠征すること 1935 抗日運動の中、中国共産党は八・一宣言（内戦停止・民族統一戦線の結成）	1933 国際連盟を脱退する 1935 天皇機関説問題が起こる（天皇主権説と対立する、国家法人説を憲法学説とする美濃部達吉の著書が発売禁止となる）	1935

国際連盟が1932年2月にリットン調査団（英・米・仏・独・伊の代表5名で団長は英国のリットン卿）を派遣、関東軍は既成事実をつくるため、3月に清朝最後の皇帝溥儀を執政にすえて、満州国を建国します。以後、日中戦争、太平洋戦争を通算し、15年戦争とも呼ばれています。
なお、上海事変は排日運動が高まる上海で日本人僧侶が殺害されたという話で起きます。日本軍と中国軍の激戦となり、5月に停戦協定が結ばれます。

▲満州国執政就任式典

ヨーロッパで第2次大戦が始まり、日本は

	南・北アメリカ		ヨーロッパ		ロシア・ソ連
1936		1936	スペイン・内戦が起こる（〜1939）	1936	新憲法（スターリン憲法）が制定される
	1937 恐慌による不況が深刻化する	1937	日独伊の三国防共協定が結ばれる	1937	中ソ不可侵条約が結ばれる
	1938 メキシコ・石油の国有化を宣言する	1938	ミュンヘン会談（英、仏、独、伊の4国首脳会議）	1939	8月、独ソ不可侵条約が結ばれる
	1939 日米通商航海条約を破棄する	1939	ナチス・ドイツが9月にポーランドに侵攻、イギリス・フランスがドイツに宣戦し、第2次世界大戦が始まる		ソ連外相ヴャチェスラフ・モロトフが独ソ不可侵条約に署名 ▶
1939	1939 欧州の第2次世界大戦に不介入・中立を宣言する			1939	9月、ソ連とドイツとポーランド分割協定、ポーランドのワルシャワがドイツ軍により陥落
1940	1940 海軍大拡張案が成立する	1940	ドイツ軍はデンマーク、ノルウェー、オランダ、ベルギー、さらにフランスに侵入し、パリを占拠。日本・イタリアと三国同盟を結ぶ	1940	バルト三国を併合（ソ連）

ミュンヘン会談・独ソ不可侵条約・第2次世界大戦

ドイツがチェコスロバキアのズデーテン地方の分割譲渡を要求。イギリスのチェンバレン首相は宥和政策（強い態度をとる国に対して、譲り歩みよることで摩擦を避ける外交政策）による解決をはかろうと4国の首脳会議でズデーテン地方のドイツへの分割譲渡を認めました。これ以降もドイツは強行な手段を取り続け、各国が驚いた「独ソ不可侵条約」を結ぶと、すぐにポーランドに侵攻、第2次世界大戦へと進みました。

アドルフ・ヒトラー ▶

日中戦争に突入 …… 1936〜1940

アフリカ、西・南・東南アジア	北・東アジア	日本	
	1936 西安事件が起こる（西安市に出向いた蔣介石が、抗日派に監禁される）	1936 二・二六事件が起こる 永田町一帯を占拠した下士官兵▲ 1936 日独防共協定が結ばれる	昭和時代 1936
1937 イラン・アフガニスタン・トルコ・イラクが不可侵条約を結ぶ	1937 盧溝橋事件をきっかけに日中戦争が起こる		
	1937 第2次国共合作が成立する	日中戦争の引き金ともなった盧溝橋事件▶	
1939 シャムが国号をタイに改める	1937 日本は華北の要地と南京を占領、南京占領の際に多数の中国人を殺害する、「南京虐殺事件」を起こす		1939
タイ第3代首相 プレーク・ピブーンソンクラーム《ピブーン》▶	1940 日本は重慶政府に対抗して、汪兆銘の親日政権を設立させるが、米・英・ソの援助を受ける中国の抗戦を受け中国人民の支持も得られず		
1940 フランス領のインドシナに日本が進駐する		汪兆銘▶	1940

注目しよう！

1939年に第2次世界大戦が起きたことも1937年に日中戦争が始まったことも、そこに向かってゆく「流れ」があることに注目しましょう。

二・二六事件

1936年2月26日、陸軍皇道派の青年将校らが決起。首相官邸や警視庁などを占拠し、高橋是清（大蔵大臣）や斎藤実（内大臣）らを暗殺します。
このクーデターを首謀した青年将校は反乱軍として鎮圧されますが、これにより軍部の発言権が強化されます。　二・二六事件で処刑された青年将校が残した、遺書▶

写真提供／共同通信社

太平洋戦争の約4年間、日本は多くを失うことで

	南・北アメリカ	ヨーロッパ	ロシア・ソ連

1941 　**1941**　4月、ソ連はドイツに備えて日ソ中立条約を結ぶ
6月、ドイツは不可侵条約を無視して、ソ連に奇襲をかける
8月、イギリス首相チャーチルとアメリカ大統領ルーズベルトが「大西洋憲章」に調印する

　　　　　1943　9月、連合軍がイタリア本土に上陸すると、ファシスト党を解散していたイタリアは、無条件降伏を申し出る
11月、カイロ宣言が発表される（ルーズベルト、チャーチル、蒋介石による、対日処理方針を定める）。テヘラン会談では北フランス上陸作戦が協議される

1943

◀カイロ会談
左から中華民国軍事委員会委員長蒋介石、アメリカ大統領ルーズベルト、イギリス首相チャーチル

　　　　　1944　6月、アイゼンハワーが率いる連合軍がノルマンディに上陸する

　　　　　1945　2月、アメリカ、イギリス、ソ連の3カ国首脳による「ヤルタ協定」で、ドイツ処理の大綱とドイツ降伏後のソ連の対日参戦などが決まる
4～6月、連合国50カ国参加のサンフランシスコ会議が開かれる
5月、ドイツが無条件降伏する。第2次世界大戦が終わる
7月、日本に降伏を求めるポツダム宣言を発表する
10月、国際連合が発足する

1945

◀広島の原爆ドーム

真珠湾攻撃

1941年12月8日「ニイタカヤマノボレ一二〇八」の暗号で始まった、真珠湾攻撃。写真は炎上し沈没しつつあるアメリカ戦艦ウェストバージニア。

写真提供／共同通信社

ミッドウェー海戦

ハワイ諸島の北西にある、ミッドウェー諸島沖で行われた日本とアメリカの海戦。写真は沈没直前の重巡洋艦「三隈」。

写真提供／共同通信社

目覚めることになる　1941～1945

アフリカ、西・南・東南アジア	北・東アジア	日本	

1941 12月、日本はハワイの真珠湾にある、アメリカ海軍基地を奇襲し、アメリカ・イギリスに宣戦し、太平洋戦争に突入する

1942 日本は開戦後半年でマレー半島、香港、シンガポール、インドネシア、フィリピン、ソロモン島を占領し、ビルマを征服し、大東亜共栄圏を唱える

1942 6月、アメリカ軍との「ミッドウェー海戦」で日本は空母4隻を失うなど、大敗する

1943〜44 「ガダルカナル島」で撤退、ビルマ防衛の「インパール作戦」に失敗、「マリアナ沖海戦」「レイテ沖海戦」などで大敗、ことごとくの戦いで敗れる

昭和時代　1941　1943

注目しよう！
1941年にイギリスとアメリカの間で調印された、大西洋憲章には、戦後の構想まで盛り込まれています。そこまで考えていながら戦争は起きます。日本ではドイツ降伏（1945年5月）後も3カ月半に亘り抵抗し、多くの戦死者を出しています。この事実は日本人の特質とも言われています。

1945 8月、広島（6日）・長崎（9日）に原子爆弾が投下される
8月8日、ソ連がヤルタ協定のもと日本に宣戦する
8月14日、ポツダム宣言を受諾する
8月15日、玉音放送が流れ、日本は無条件降伏する

▲広島に原爆投下

1945

硫黄島の戦い

1945年2月19日にアメリカ海兵隊の硫黄島強襲が、艦載機と艦艇の砲撃の支援のもと開始されました。3月17日アメリカ軍が島を制圧、日本軍守備隊陣地の多くが壊滅しました。3月26日、栗林中将以下300名余りが最後の攻撃で壊滅し、戦闘は終結しました。

玉音放送

1945年8月15日正午、終戦を知らせる天皇の玉音放送を皇居二重橋前の玉砂利に正座して涙を流して聞く、国民。

写真提供／共同通信社

日本は占領下時代、世界はNATO対共産圏

	南・北アメリカ、西ヨーロッパ	東ヨーロッパ、ソ連
1946	1946 フランス・新憲法が成立し、第4共和政が発足する イタリア・王政が廃止され、共和制となる 1947 アメリカ・ギリシアとトルコへの共産主義の進出を阻止し、「トルーマン＝ドクトリン」を宣言する。マーシャル国務長官は、ヨーロッパ経済復興援助計画「マーシャル・プラン」を発表する	1946～47 ソ連による共産党の主導で、ポーランド、ルーマニア、ブルガリア、ユーゴスラビア、アルバニアが社会主義を採用する 1947 ソ連・東欧諸国による共産党の情報機関「コミンフォルム」が結成される
1948		1948 ユーゴスラビアはコミンフォルムを除名され、独自路線を歩む 1948 ソ連がドイツ西ベルリンへの水・陸路連絡を封鎖する
	▲NATOのサミット[2002年] 1949 西側12カ国による「北大西洋条約機構」（NATO）が結成される⬇ 1949 ボンを首都とするドイツ連邦共和国（西ドイツ）が成立する	西ベルリンに物資を空輸してきた輸送機を見上げるベルリン市民▶ 1949 ソ連と東欧6カ国が、経済相互援助会議（「COMECON」を創設） 1949 東ベルリンを首都とするドイツ民主共和国（東ドイツ）が成立する
1950		

「北大西洋条約機構」（NATO）

アメリカ・ヨーロッパ諸国によって結成された軍事同盟。共産圏に対抗するための、集団的安全保障体制です。加盟国は、アメリカ、カナダ、イギリス、フランス、オランダ、ベルギー、ルクセンブルク、アイスランド、ノルウェー、デンマーク、イタリア、ポルトガルでその後、加盟国が増えます。

鉄のカーテン

1946年、イギリスの元首相チャーチルがソ連はバルト海からアドリア海まで「鉄のカーテン」を下ろしていると語り、ソ連への不信感を示します。

96

の構図となる　1946〜1950

アフリカ、西・南・東南アジア

- 1946　フィリピン共和国が独立する
- 1946　インドシナ戦争が起こる（ベトナム）
- 1947　インド連邦・パキスタン両自治領が成立
- 1948　ビルマ共和国とセイロン自治国が成立
- 1948　パレスチナ戦争が起こる（第一次中東戦争）

▲中華人民共和国の建国を宣言した天安門

北・東アジア

- 1948　大韓民国・朝鮮民主主義人民共和国が成立する

▲ソウルで行われた韓国の国家成立記念式典

- 1948　中国・国民党の蔣介石が総統となる
- 1949　蔣介石は台湾に逃れ中華民国政府を維持する
- 1949　毛沢東の共産党、「中華人民共和国」を成立
- 1950　朝鮮戦争（〜1953）

日本

- 1946　天皇の神格否定、人間宣言を行う
- 1946　主権在民・戦争放棄を謳う、日本国憲法が公布される
- 1947　教育基本法が公布される。六三三制新教育が実施される
- 1948　極東国際軍事裁判で東条英機ら7人が死刑判決を受ける
- 1950　朝鮮戦争特需で景気が上向く

注目しよう！
戦後、世界中の国々がソ連とアメリカの狭間で揺れるなか、日本はアメリカによる統治で整備されていきました。

昭和時代　1946　1948　1950

日本の占領下時代

日本は、1952年のサンフランシスコ講和条約の発効まで、連合国総司令部（GHQ）により支配されました。

GHQマッカーサー最高司令官と昭和天皇［1945年9月27日］▶

国会議事堂前も芋畑になる食糧不足時代でした。

写真提供／共同通信社

米ソ冷戦のなか各国が平和共存へまっしぐら。
（アメリカ―ソビエト）

	南・北アメリカ、西ヨーロッパ	東ヨーロッパ、ソ連
1951	1951 サンフランシスコ講和会議が開かれる	1950 モスクワで「中ソ友好同盟相互援助条約」が調印される（～1980）
	1952 ヨーロッパ石炭鉄鋼共同体（ECSC）が発足する ⬇	
	1951 太平洋安全保障条約（ANZUS）が結ばれる（アメリカ、オーストラリア、ニュージーランド間）	
1953	1953 アイゼンハワーが第34代大統領になる	1953 スターリンが死去
		1953 バルカン軍事同盟が結ばれる（ギリシア、トルコ、ユーゴ間）
	1954 ジュネーブ休戦協定が結ばれる ⬇	
1955	1955 平和共存を目指し、ジュネーブ四巨頭会談が開かれる（アメリカ・イギリス・フランス・ソ連）	1955 ソ連と東欧7カ国が「ワルシャワ条約」に調印する ⬇

▲スターリンの遺体が1961年まで保存されていた「レーニン廟」

▲ドワイト・D・アイゼンハワー

ヨーロッパ石炭鉄鋼共同体
西ヨーロッパのエネルギー資源や工業資源を共同で管理し、相互の対立を防止しようとするもので、フランス、西ドイツ、ベネルクス3国（ベルギー、オランダ、ルクセンブルク）、イタリアが参加。

ワルシャワ条約
冷戦期の1955年、ソ連はNATO（北大西洋条約機構）に対抗するため、東ヨーロッパ相互援助条約（ワルシャワ条約）という軍事同盟を結びます。参加国は、ソ連、アルバニア、ブルガリア、ルーマニア、東ドイツ、ハンガリー、ポーランド、チェコスロバキア。

ジュネーブ休戦協定
世界大戦終了直後にホー・チ・ミンがベトナム民主共和国の独立を宣言。フランスはこれを認めず、1946年にインドシナ戦争が起こります。1954年、ディエンビエンフーで大敗したフランスは、ジュネーブ休戦協定を結びインドシナから撤退。ベトナムは北緯17度で南北を分けました。

日本は独立へ ········ 1951〜1955

アフリカ、西・南・東南アジア	北・東アジア	日本	
1950 インド共和国、並びにインドネシア単一国家が成立する		1951 サンフランシスコ講和会議で平和条約に調印、日本が独立国として認められる 🔻	昭和時代 1951
	1953 朝鮮戦争の休戦協定が成立	1951 日米安全保障条約に調印する	
1954 東南アジア条約機構（SEATO）が結ばれる	1953 中華人民共和国・第1次5カ年計画を発表	1953 日米友好通商航海条約が結ばれる	1953
1955 トルコ、イラク、イギリス、パキスタン、イランによるバグダード条約機構（METO）が成立する	1954 中華人民共和国憲法が公布される	1955 第1回原水爆禁止世界大会が広島で開かれる	1955

▲周恩来

注目しよう！

サンフランシスコ平和条約が調印された9月8日は、いわば日本の独立記念日。その意味は終戦記念日（8月15日）で代行されているようですが、神武天皇に由来する現在の建国記念日よりは実質性があります。

サンフランシスコ講和会議

アメリカをはじめとする連合国の諸国と日本との間の戦争状態を終結させるための平和条約会議です。この会議は、「サンフランシスコ条約」「サンフランシスコ平和条約」「サンフランシスコ講和条約」「対日平和条約」などとも呼ばれます。

▲平和条約に署名する、吉田茂首相

▲サンフランシスコ・オペラハウスで演説する、吉田茂首相

写真提供／共同通信社

反ソ連の動きが起こり、中東では経済＆民族戦争

	南・北アメリカ、西ヨーロッパ	東ヨーロッパ、ソ連
1956		1956 ソ連でスターリン批判が起こる
1958	1958 ヨーロッパ経済共同体（EEC）が発足する。参加国はECSCと同じ	1956 ポズナニ事件やハンガリー事件が起こる ⬇
	1959 フランス・ド・ゴール大統領が就任（～1969）	1958 ソ連・フルシチョフが首相に就任する（～1964）
	ド・ゴール大統領▶	ニキータ・フルシチョフ
	1959 キューバでカストロの指導する革命運動が、親米的な政府を倒す（キューバ革命）	1959 フルシチョフ首相が訪米。アイゼンハワーと首脳会談をおこなう（ソ連）
	フィデル・カストロ▶	
1960	1960 イギリスがEECに対抗し、7カ国でヨーロッパ自由貿易連合（EFTA）を結成する	

4つの中東戦争

パレスチナ戦争
国連は1947年、パレスチナをアラブ人国家とユダヤ人国家に分割することを決めます。1948年、ユダヤ人がイスラエルの独立を宣言すると、それを不当とするアラブ連盟（エジプト、シリア、ヨルダンなど）との戦争が起こります。このパレスチナ戦争はイスラエルが勝利して独立を確保、翌年に停戦となります。

第2次中東戦争（スエズ戦争）
1956年、スエズ運河の国有化問題をきっかけに、イギリス・フランス両国の軍隊がエジプトに出兵。国際関係はたいへん緊張しました。これはエジプトのアスワン＝ハイダム建設の資金援助をイギリス・アメリカが取りやめ、その報復としてエジプトがスエズ運河の国有化を発表したためで、イスラエルがエジプトに侵入したのに引き続きイギリス・フランス軍が攻撃を加えました。しかし、国連やイギリス国内で厳しく批判され、戦闘は1週間で中止になりました。

日本は安保で揺れる 1956〜1960

アフリカ、西・南・東南アジア	北・東アジア	日本	昭和時代
1956 エジプトがスエズ運河の国有化を宣言。スエズ戦争「第2次中東戦争」が起こる⬇	▲スエズ運河の航空写真	1956 ソ連との国交を回復、日ソ共同宣言を発表	1956
1957 アフリカ・ガーナが最初の自力独立の黒人共和国となる	1958 毛沢東が人民公社（農業集団化のための組織）を設立する	**注目しよう！** 1960年6月15日の安保闘争のデモで東大生の樺美智子さんが、機動隊と衝突して死亡。この死は多くの人に衝撃を与え、その後、学生運動の象徴ともなりました。	1958
1960 カメルーン・コンゴ・マリなどアフリカ諸国の独立が相次ぐ	1959 毛沢東に代わって劉少奇が国家主席となる（〜1968）	1960 日米新安全保障条約が調印される。安保阻止運動が起こる⬇	
		1960 岸信介に代わり池田勇人内閣が発足する 池田勇人▶	
▲野生動物の楽園、アフリカ	▲劉少奇	1960 浅沼稲次郎が暗殺	1960

ワンポイント解説

ポズナニ事件・ハンガリー事件

ポーランドのポズナニで反ソ連、反政府の暴動が起こり、軍によって鎮圧されます。ハンガリーではラコシ体制のもとでのソ連および政府に対する民族的な不満が全国規模の蜂起になります。ソ連は2度の武力介入でこれを鎮圧、多くの市民が殺害されました。

60年安保闘争

ソヴィエト、中国に対する軍事同盟へと性質を変えていった、日米安保新条約の自然成立前日の1960年6月18日、反対運動が頂点に達します。国会周辺は抗議する学生や労働者のデモ隊で埋め尽くされました。

写真提供／共同通信社

資本主義も共産主義も世界各国が自国の思惑

		南・北アメリカ、西ヨーロッパ		東ヨーロッパ、ソ連
1961	1962	キューバ危機が起こる	1961	東ドイツがベルリンの境界線に壁（いわゆるベルリンの壁）を作り、東西の交通を遮断する
	1963	第35代ケネディ大統領が暗殺され、ジョンソンが大統領となる⬇		
	1963	アメリカ、イギリス、ソ連が部分的核実験禁止条約に調印する		
1964	1964	黒人の差別撤廃をめざす「公民権法」が成立する	1964	ソ連・フルシチョフが失脚、ブレジネフが第一書記となり、コスイギンが首相となる
	1965	アメリカ空軍による北ベトナム爆撃（北爆）が始まる		

アレクセイ・コスイギン▶

注目しよう！
ベトナム戦争はベトナム統一をめざす南ベトナム解放民族戦線および北ベトナムと軍事大国アメリカの戦争となったが、結果的にはアメリカの敗北となりました。

			1967	ヨーロッパ共同体（EC）が発足する
			1968	フランスで五月危機が起こる
			1968	チェコ事件が起こる⬇
	1968	アメリカ、イギリス、ソ連ほか62カ国が「核不拡散条約」に調印する		
	1969	月着陸船アポロ11号が人類初の月面着陸・帰還に成功する		
1970				

▲アポロ11号　月の足跡▶

J・F・ケネディ大統領暗殺

ケネディ大統領は11月22日にダラスで遊説を行う予定でした。大統領夫妻らが空港から乗車した車は、リンカーン・コンチネンタルをオープントップに改造したリムジンで、自動車パレードは空港からディーリー・プラザを含むダウンタウンを通過することが計画されていました。リンカーン・コンチネンタルが教科書倉庫を通過した数秒の間にケネディ大統領は狙撃されました。

▲暗殺される直前のケネディ大統領

1961〜1970 で揺れ動いた60年代

アフリカ、西・南・東南アジア	北・東アジア	日本	昭和時代
1962 アルジェリアが独立	1961 韓国・朴正煕がクーデターを起こし、63年に大統領となる	1964 経済協力開発機構（OECD）に加盟する	1961
1963 アフリカ統一機構が結成され、連帯、植民地主義の克服をめざす	1963 中ソ対立が公開論争となる	1964 東海道新幹線が開業する	
1964 ベトナム・トンキン湾事件が起きてベトナム戦争となる		1964 東京オリンピック（第18回）が開催される	
1965 インドネシアで共産党を弾圧する、九・三〇事件が発生	1965 日韓基本条約が調印される	▲第3コース、山形県小国町での聖火リレーの様子　写真提供／山形県小国町	1964
1967 第3次中東戦争が起こる	1966 文化大革命が起こる⬇	1968 アメリカの施政権下にあった小笠原諸島が返還される	
1967 東南アジア諸国連合（ASEAN）結成　ジャカルタにあるASEAN本部▲ 写真提供／Gunkarta	1968 劉少奇が失脚し国家元首が空席となる	1970 日本万国博覧会（大阪）が開催される	
	1969 九全大会で毛沢東・林彪体制が発足	1970 日航機よど号乗っ取り事件が起きる	1970

チェコ事件
1968年、チェコスロバキアで民主化を求める国民運動が起こりました。この自由化を推進しようとした動きは「プラハの春」と呼ばれますが、自由化を恐れたソ連とワルシャワ条約機構の4カ国が、軍事介入して改革の動きを封じました。

文化大革命
1966年、毛沢東と軍を率いる林彪らは、劉少奇・鄧小平らを資本主義の復活を図る修正主義者と批難し、「文化大革命」の運動を呼びかけ、党幹部や知識人を批判して追放しました。

▲文化大革命のポスター

ドル・ショックが世界を走り、日本では沖縄返還

	南・北アメリカ、西ヨーロッパ	東ヨーロッパ、ソ連
1971	1971 ニクソン・ショック（ドル・ショック）が起こる	1971 ドル・ショックで欧州各国の主要為替市場が一時閉鎖する
1972	1972 ニクソンが中国を訪問して首脳会談	1972 東西ドイツが基本条約に調印し、翌年、国連に加盟する
	1973 イギリス・ECに加盟する	
	1974 ウォーターゲート事件でニクソンが辞任 フォードが大統領に就任	
	1975 アメリカのベトナム介入が終わる	
	1975 先進6カ国首脳ランブイエ会議が開かれる（日本、アメリカ、イギリス、フランス、西ドイツ、イタリア）	1974 ロシア生まれの作家・ソルジェニーツィンが国外追放処分を受ける

▲ニクソン　▲フォード

注目しよう！
ニクソンと田中角栄、話題に事欠かない大物の政治家だったといえるでしょう。

ニクソン・ショック
アメリカは1944年のニューハンプシャー州ブレトンウッズの会議で、金1オンス（31.104g）＝35ドルの割合で金とドルの交換を保証したので、「ドル」が唯一の国際通貨として機能するようになりました。この「ブレトンウッズ体制」で各国は対ドル為替レートを設定、たとえば円なら1ドル＝360円となりました。ところが60年代に入ると、日本や西ドイツなどが国際競争力をつけてきたことやベトナム戦争などで多額の軍事支出を行ったことで、対外債務が「金」準備を上回り、ドル不安が深刻化します。1971年8月15日、ニクソンは「ドルと金の交換停止」を宣言します（ニクソン・ショック）。その結果、金・ドル本位制は崩れ、固定レート制による国際経済体制は根幹から揺らいでしまいました。

▲ソルジェニーツィン
写真提供／I, Evstafiev

▲事件発覚の発端となったウォーターゲートビル

と日中国交正常化 … 1971〜1975

アフリカ、西・南・東南アジア	北・東アジア	日本	昭和時代
1971 アラブ首長国連邦が発足する	1971 中華人民共和国が国連加盟、台湾は追放される	1972 沖縄がアメリカから返還される ▶沖縄返還当時の日米首脳、佐藤栄作とリチャード・ニクソン	1971
1971 バングラデシュが独立宣言する			
1972 アラブ＝ゲリラがミュンヘン乱射事件を起こす	1972 金日成が北朝鮮国家主席に就任	1972 田中角栄首相が中国を訪問、日中国交正常化が成立 🔽	1972
1973 第4次中東戦争が起こる	1974 韓国・朴大統領の狙撃事件が起こる	1973 円為替が変動相場制に移行する	
1973 パリでベトナム和平協定が調印される		1973 石油危機で狂乱物価現象が起こる	
1975 レバノン内戦が起こる(〜1990)	1975 中国・改正新憲法を発表する	1975 沖縄国際海洋博覧会が開かれる	
1975 北ベトナム軍、サイゴンを落とす			1975

▲避難する南ベトナム人

ウォーターゲート事件
大統領再選をめざす共和党のニクソン陣営が、1972年にワシントンのウォーターゲートビルの民主党本部を盗聴しようとした事件。ニクソン自身の関与や事件もみ消しなどが発覚して、自ら辞任します。

日中国交正常化
田中首相が過去の不幸な出来事をあやまり、新たな交流が始まりました。

写真提供／共同通信社

偶然！ホメイニ師によるイランとフセイン大統領の

	南・北アメリカ、西ヨーロッパ	東ヨーロッパ、ソ連
1976	1977 ジミー・カーターが第39代大統領となる	1977 ソ連・最高会議幹部会議長にブレジネフが就任する
1978	 ▲世界遺産でもあるエバーグレーズ国立公園 1976年、生物圏保護区に指定（アメリカ）	
	1979 イギリス・サッチャー保守党内閣が成立する 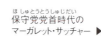 保守党党首時代のマーガレット・サッチャー▶	1979 ソ連軍がアフガニスタンに侵攻する（～1989・名目はアフガニスタンの社会主義政権の支援）
	1980 イランのアメリカ大使館人質救出作戦に失敗する（1979年にアメリカ亡命中のパーレビ前国王の引き渡しを要求してテヘランの学生たちがアメリカ大使館を占拠）	1980 モスクワオリンピック開催（西側諸国は不参加）
1980		

注目しよう！
この時期のイラン、イラク、アメリカ、ソ連の動きは複雑だがこの後に起こることを考えると非常に興味深いものがあります。

イラン革命

1979年、フランスから帰国したイスラーム最高指導者たるホメイニ師の指導のもと、「シーア派」によるイラン・イスラーム共和国が成立。これがイラン革命です。イスラーム原理主義に沿った改革を行い、反米・反イスラエルの政策がとられました。

イランに帰国したルーホッラー・ホメイニ▶

イラクは同じ年に誕生 1976〜1980

アフリカ、西・南・東南アジア	北・東アジア	日本	
1976 ベトナム統一が宣言される	1976 中国・華国鋒が党主席となり、江青ら「四人組」を追放する	1976 ロッキード事件が政界を揺るがす	昭和時代 1976
1978 キャンプデービッドでエジプトとイスラエルの和平合意がなる		1977 日本赤軍がダッカ事件を起こす ⬇	
	1979 中国とアメリカの国交が正常化	1978 日中平和友好条約が調印される	1978
1979 イラン革命が起こる ⬇		1979 東京サミット（先進国首脳会議）開催	
1979 イラク・アラブの統一と社会主義をかかげる、サダム・フセインが大統領となる	1979 韓国・KCIAが朴大統領を射殺する	1980 大平首相が急死、鈴木内閣が成立する	
1980 イラン・イラク戦争が起こる（〜1988）⬇	▲朴正熙大統領 1980 韓国・全斗煥大統領が就任する	**ロッキード事件** アメリカ上院多国籍企業小委員会での証言で明らかになった航空業界の汚職事件。田中角栄首相が逮捕されるという事件にまで発展しました。	1980

◀ルーホッラー・ホメイニー

イラン・イラク戦争

イランとイラクの国境をめぐる戦争ですが、アラブ世界の主導権争いであり、イラン「シーア派」とイラク「スンニ派」の宗教戦争であり、アラブとペルシアという歴史的対立でもありました。1980年、イラク軍がイランの空港を爆撃することで始まります。ここで驚くべきことは、アメリカ、ヨーロッパ、ソ連がフセイン政権のイラクを積極的に応援したことです。クウェートも全面的にイラクを支援します。これはアラブ諸国には世俗的な王政や独裁制が多く、これらの国にイラン（イスラーム）革命が"輸出"されることを恐れたためです。その中で北朝鮮がイランに武器と兵員を送っており、このときにイランと北朝鮮の親密な関係が築きあげられました。

ダッカ事件

日本航空機472便（パリ〜東京）がインド上空で日本赤軍グループ5名にハイジャックされます。同機はバングラデシュのダッカ空港に強行着陸。犯人グループは身代金や囚人9名（左翼活動家など）の釈放などを要求。人質を守るため政府は犯人の要望を飲みました。

南米で短期決戦の戦争が2つ、旅客機の

	南・北アメリカ、西ヨーロッパ	東ヨーロッパ、ソ連
1981	1981 ロナルド・レーガンが第40代大統領となり、フランスは社会党のミッテランが大統領となる	
	1982 イギリスとアルゼンチンのフォークランド紛争が起こる	
1983	1983 米軍がカリブ海でグレナダに侵攻する	1985 ソ連・チェルネンコが死去、ゴルバチョフが書記長に就任し、ペレストロイカ（改革）をかかげる
	1984 レーガン大統領が中国を訪問する	
	1984 フランスと西ドイツが軍事協力協定に調印する	
1985		

注目しよう！
フォークランド紛争は近代化された兵器（両国ともアメリカ、イギリス、フランスなどの兵器を使用）の戦闘としても注目され、その後の軍事技術にも影響を及ぼしました。

▶ ミハイル・ゴルバチョフ

フォークランド紛争

フォークランド諸島はアルゼンチンからの沖合約500kmにある200余りの小島で構成されています。ここは1600年以降、ヨーロッパの列強諸国が入植や撤退を繰り返していました。1816年にスペインから独立したアルゼンチンが領有を宣言。1833年にイギリスが再領有するなど、領有をめぐる対立が続いていました。なぜこの時期に戦争になってしまったのでしょうか。その要因はこの時期に両国で政権交代があったためです。アルゼンチンは1976年に軍事政権が誕生、この政権に対する民衆の不満は高まり続けます。そこで軍事政権を引き継いだガルチェリ大統領は、民衆の不満をそらすためにフォークランド諸島問題をあおります。一方、

▲炎上するイギリスのフリゲート艦アンテロープ
写真提供／共同通信社

事件・事故が続く 1981〜1985

アフリカ、西・南・東南アジア	北・東アジア	日本	昭和時代
1981 エジプト・サダト大統領が暗殺される	1983 中国・国家主席に李先念が就任する ▲李先念	1982 中曽根康弘内閣が成立する（〜1987）	1981
1982 イスラエル軍がレバノンに侵攻し、首都ベイルートのパレスチナ解放機構（PLO）を攻撃する		1985 科学万博つくば'85	1983
1983 フィリピン・野党指導者アキノ氏暗殺される ベニグノ・アキノ▶	1983 ソ連軍による、大韓航空機のサハリン沖撃墜事件が起こる⬇	1985 日航ジャンボ機が群馬県の山中に墜落、死者520人 写真提供／共同通信社 ▲1985年8月12日、御巣鷹山の尾根に墜落した日航ジャンボ機の残がいと救助隊員	
1985 イラン・イラク戦争（相互に都市攻撃を再開する）	1984 中国がオリンピックに32年ぶりに参加する		1985

1979年に首相に就任したイギリスのサッチャーはフォークランド諸島の住民の意向を優先する姿勢を取りました。そのような中でアルゼンチンが先に武力行使への動きを見せ、実際、陸軍4000名がフォークランド諸島を制圧します。サッチャーはアメリカのレーガン大統領に仲介を要請するものの、イギリスは空軍、陸軍、海軍の力でフォークランド諸島を奪回。アルゼンチンは降伏し、政権交代も行われました。

グレナダ侵攻

1975年にイギリスから独立したグレナダ。1983年に政権内のクーデターで革命軍事評議会が設立、ソ連・キューバによるグレナダへの共産主義の影響を止めるため、アメリカが武力介入。侵攻から1カ月で島は完全にアメリカによって制圧されます。

大韓航空機の撃墜事件

1983年9月、アラスカの上空から飛んできた韓国の旅客機がサハリンの上空でソ連の領空に迷い込み、ソ連の戦闘機に誤まって撃墜されてしまうという悲劇的な事件でした。

東欧で共産党政権が相次ぎ崩壊し、日本で

		南・北アメリカ、西ヨーロッパ		東ヨーロッパ、ソ連
1986	1986	スペースシャトル＝チャレンジャーの爆発事故が起こる	1986	ソ連・ウクライナのチェルノブイリ原子力発電所で核燃料の大爆発が起こる
1988	1987	アメリカ、ソ連、INF（中距離核戦力）全廃条約に調印する	1987	ゴルバチョフのもとペレストロイカ（改革）が始まる
	1989	ジョージ・H・W・ブッシュが第41代大統領になる	1989	東ドイツで「ベルリンの壁」が開放。翌年には西ドイツに吸収され、統一ドイツとなる
	1989	アメリカ・ソ連の首脳が地中海のマルタ島で東西冷戦の終結を宣言するマルタ会談が行われる	1989〜90	東欧革命と呼ばれる共産政権の崩壊が起きる（ポーランド、ハンガリー、チェコスロバキア、ブルガリアなど）
1990		▲新凱旋門（パリ/フランス）1989年完成	1990	バルト3国などの独立が相次ぐ

プラハのヴァーツラフ広場に集まった群衆〈ビロード革命〉▶

「ベルリンの壁」が壊れ、東欧革命、ソ連の崩壊へ

ペレストロイカ（改革）は、すでに機能しなくなってきた古い計画経済に代えて市場原理の導入をめざし、そのひとつとして「国営企業法」を制定します。さらに共産党の一党支配からの脱却や情報公開をめざします。西との格差が増大する東ドイツでは、市民が東欧諸国経由で西ドイツに大量移動、ついにベルリンの壁が開放されます。これは東西冷戦の終結の象徴となり、東欧諸国で次々と共産政権が崩壊してゆきます。さらにソ連国内でも、ウクライナ、ベラルーシ、バルト3国（リトアニア、ラトビア、エストニア）などで独立を求める運動が起こり、ソ連も独立を承認することになります。

▲壁崩壊に喜ぶ東西ベルリン市民
写真提供／Lear21 at en.wikipedia

昭和天皇が崩御 …… 1986〜1990

アフリカ、西・南・東南アジア	北・東アジア	日本	
		1987 日米戦略防衛構想（SDI）協定に調印する	昭和時代 1986
▲イランの集落	1989 中国・天安門事件が起こる	1988 青函トンネル鉄道が開通する	1988
1988 イラン・イラク戦争が終結する	1989 趙紫陽総書記が解任され、江沢民が選ばれる	1989 1月 昭和天皇が崩御する。皇太子の明仁が即位し、元号が「平成」となる	平成時代
1988 アフガニスタン和平協定が調印される（アメリカ・ソ連・アフガニスタン・パキスタン）	1989 ビルマ・国名をミャンマーと改称する	1989 消費税が実施される（はじめは3%）	
1990 イラク軍がクウェートに侵攻して制圧。中東危機が起こる	▲全国遊説を行っているアウンサンスーチー 1990 韓国・ソ連との国交を樹立する		1990

注目しよう！ なぜ共産主義の経済政策は破綻してゆくことになったのか、難問にチャレンジしてみましょう。

天安門事件

1989年4月、言論の自由化を推進していた胡耀邦の死を契機に、各地で追悼デモが起こります。これが民主化を求める政治改革の動きとなっていきます。5月4日、北京の学生、市民らの約10万人がデモと集会を行いました。5月中旬にはゴルバチョフの訪中も重なり、天安門広場に集まるデモ隊の数は50万人近くになり、政府は戒厳令を敷きます。6月に入ると人民解放軍の部隊が北京に集結、6月4日、戦車がデモ隊へ突入するなど死者319人（当局発表）を出す、天安門事件となります。アメリカなどの西側諸国は人権抑圧であると中国を批判、制裁措置もとりました。天安門事件は東アジアでは共産党支配の時代が終わっていない印象をもたらしました。

▲天安門広場に集まるデモ隊　写真提供／共同通信社

湾岸戦争の衝撃のなかソ連が消滅しロシア周辺の

	南・北アメリカ	ヨーロッパ	ソ連(ロシア)周辺国
1991	1991 湾岸戦争が始まる。米軍を主体とする多国籍軍がイラクを攻撃		1991 ロシア共和国大統領にエリツィンが就任(～1999)
		1992 ヨーロッパ共同体(EC)の首脳会議でマーストリヒト条約(ヨーロッパ連合条約)に調印する	1991 ソ連共産党解体
			1991 ソ連邦が消滅
	▲イラク攻撃に向かう多国籍軍の戦闘機と、炎上するクウェートの油田	1993 ヨーロッパ連合(EU)が発足する	1991 旧ユーゴスラビアの民族紛争が起こる(～2000)
1993	1993 アメリカ・ロシアがSTART(第2次戦略兵器削減条約)に調印する		
1995		▲EUの旗	▲破壊されたヴコヴァル〈クロアチア〉の街　写真提供／Seiya123

ソ連の崩壊と14の独立国の出現

1991年8月、ゴルバチョフの改革路線に対して、旧来の共産党の支配を維持しようとする保守派のクーデターが失敗します。これで共産党は解体、さらにソ連を構成する共和国の中で、ロシアに次ぐ第二の有力共和国ウクライナが新しい連邦条約への不参加を宣言。それでも旧ソ連を構成していた共和国をまとめるための「独立国家共同体(CIS)」を樹立、ここに69年に及んだソ連邦の歴史は幕を閉じます。しかし、この共同体もあまり機能しません。まずヨーロッパ方面で「ウクライナ」「ベラルーシ」「モルドバ」の3カ国が独立国家に、カフカス方面では「アゼルバイジャン」「アルメニア」「グルジア」の3カ国、中央アジア方面では「カザフスタン」「ウズベキスタン」「トルクメニスタン」「キルギス」「タジキスタン」のイスラーム5カ国が独立国家として誕生します。90年に独立したリトアニア、ラトビア、エストニアのバルト3国を入れると、14の国が生まれるというまさに歴史的な出来事となります。

地図が塗り替えられる 1991〜1995

アフリカ、西・南・東南アジア

- 1991 南アフリカ・人種隔離政策（アパルトヘイト）を廃止する
- 1991 カンボジア和平パリ協定に調印する
- 1993 イスラエルとパレスチナ解放機構（PLO）が暫定自治協定に調印する

▲プノンペンのワット・ランカ（カンボジア）

北・東アジア

- 1991 韓国・北朝鮮が同時に国連に加盟する

韓国の李相玉外相〈左〉と▲北朝鮮の姜錫柱副外相

- 1992 中国と韓国が国交を樹立
- 1993 韓国・金泳三が大統領に就任する
- 1994 北朝鮮・金日成が死去

日本

- 1992 国連平和維持活動（PKO）法案が成立する

注目しよう！
派手な湾岸戦争に目を奪われがちですが、ソ連の解体は歴史上の大変革といえるでしょう。

- 1994 村山富市内閣が成立する
- 1995 阪神・淡路大震災が起こる

▲写真提供／l, 松岡明芳

- 1995 オウム真理教、地下鉄サリン事件を起こす

平成時代 1991 — 1993 — 1995

湾岸戦争

湾岸戦争は、1990年にイラクがクウェートに侵攻し、クウェート全土を占領したことによって始まります。1988年にイラン・イラク戦争を停戦したばかりのイラクがなぜクウェートに攻め入ったのでしょうか。イラクはイラン・イラク戦争でアメリカ、ソ連などから軍事面の支援を受けていました。そのため600億ドルの戦時債務を抱えており、さらにクウェートから無償援助されていた約100億ドルの返済を求められます。これに原油価格の問題、地下でイラクとクウェートにつながっているといわれるルメイラ油田をめぐる対立、国内経済の低迷などが重なり、クウェートを侵略します。これに対し、国連はクウェートからの即時無条件撤退を求める決議を行います。1991年1月17日、多国籍軍（アメリカ、イギリス、フランス、エジプト、サウジアラビアなど）はイラクへの爆撃を開始します。「新兵器の見本市」「兵器の実験場」などとも呼ばれたこの戦争は、イラクが3月に暫定休戦協定を受け入れ敗戦を認めます。

国民国家の中の多様な民族や文化の混在が複雑

	南・北アメリカ	ヨーロッパ	ロシアと周辺国
1996	1996 アメリカ・オリンピック開催中のアトランタの公園で爆弾テロが起こる	1997 ヨーロッパ連合（EU）で単一通貨「ユーロ」発足に合意	▲コトル＝モンテネグロ
		1997 イギリス・ブレア労働党内閣が発足する	1999 コソボ問題でNATO軍がユーゴスラビア連邦共和国を空爆する
		1997 イギリスのダイアナ元皇太子妃がパリで交通事故死	
		1998 ドイツ・社会民主党のシュレーダー首相が就任する	2000 ロシア大統領に、プーチンが就任する
	2000 ペルー・フジモリ大統領が罷免される		プーチン大統領▶ 写真提供／www.kremlin.ru
2000			

注目しよう！
紀元前から争いを繰り返してきたヨーロッパ（EU加盟国）が単一通貨で結ばれることは歴史的な出来事といえます。

ヨーロッパ連合（EU）加盟国の経緯

1997年の単一通貨「ユーロ」発足の後、1999年から外国為替市場での取引が始まり、ユーロの流通開始は2002年からです。ドルに次ぐ国際通貨の出現となりました。EUに発展するまでの経過をたどりますと、1967年に3つの共同体を母体にしてヨーロッパ共同体（EC）が発足します。当初の加盟国は6カ国、1973年にイギリスなど3カ国が加盟。1992年にオランダのマーストリヒトで開かれたECの首脳会議で、欧州中央銀行の設立や単一通貨の導入などの取り決め（条約）が行われ、

1993年にヨーロッパ連合（EU）が発足します。その後も加盟国が増え、2004年には25カ国からなる人口約4億5000万人の巨大な機構となっています。

写真提供／共同通信社

よ紛争につながる **1996〜2000**

アフリカ、西・南・東南アジア	北・東アジア	日本	
1997 コンゴ民主共和国が発足する	1997 香港が中国に返還される	1997 北海道拓殖銀行が破綻、山一証券が自主廃業する	1996 平成時代
1998 インドとパキスタンが地下核実験を行う	1997 北朝鮮・金正日が総書記に就任する	1998 長野で冬季オリンピックが開催される	
1999 東ティモールのインドネシアからの独立が承認される	1998 韓国・金大中が大統領に就任する	1999 日米防衛協力のための指針（ガイドライン）関連法が成立する	
1999 イスラエルの新首相にバラク労働党党首が就任する	2000 南北の朝鮮首脳が初会談を行う		2000

▲1998年、古都・奈良の文化財が世界遺産に登録（写真は東大寺）

コソボ問題

◀旧ユーゴスラビア国際戦犯法廷に出廷したミロシェビッチ元ユーゴ大統領。2002年、人道に対する罪などで起訴されました。

写真提供／ロイター＝共同

旧ユーゴスラビアの共和国が独立するなか、1992年にセルビアとモンテネグロが新国家ユーゴスラビア連邦共和国を樹立します。セルビア共和国内の自治州コソボは、アルバニア系住民が90％を占めており1997年頃から独立運動を行い、コソボ解放軍はセルビア系住民にテロ活動を行います。これによって1998年にユーゴ連邦軍とコソボ解放軍の戦闘となります。しかし連邦軍がコソボ市民の虐殺を行ったという理由で国連はコソボからの撤退を要求、1999年にコソボ問題の和平交渉が行われるもののこじれたため、それを口実にNATO軍がユーゴ全土を空爆します。2000年に連邦軍はコソボから撤退完了します。

アメリカでテロが起こり、イラク戦争へ。「世界平和

		南・北アメリカ		ヨーロッパ		ロシアと周辺国
2001	2001	ジョージ・W・ブッシュが第43代大統領に就任する	2001	イギリス・口蹄疫の流行で家畜700万頭以上を殺処分する	2002	ロシア・チェチェン人（イスラームスンニ派）の武装勢力がモスクワの劇場を占拠、特殊部隊の突入で多くの人質が死亡
	2001	9月11日 アメリカで同時多発テロが起きる。3000人弱の死者がでる⬇	2002	ドイツ・エルベ川などが157年ぶりの大洪水となり欧州全体に被害		
	2001	アメリカがアフガニスタンのタリバンを空爆、タリバン政権を崩壊させる				
	2003	アメリカ・イギリス軍がイラクに攻撃を開始する（イラク戦争）⬇				
2005	2004	政府調査団がイラク戦争開始時、イラクに大量破壊兵器などが存在せずとの最				

注目しよう！
核の保有＝脅威、そして武力行使、テロ、戦火の炎が絶えることのない理由について考えることは大切です。

▲テロ犠牲者を追悼するモニュメント（モスクワ） 写真提供／S1

アメリカ同時多発テロ

「911テロ事件」とも呼ばれている大惨事は、アラブ系のグループによって4機のアメリカ旅客機がほぼ同時にハイジャックされたことから始まります。このうちの2機がニューヨークの世界貿易センターの2つのビルに突入し、ほか1機はペンシルベニア州に墜落、さらに1機はアメリカ国防総省本庁舎（ペンタゴン）に激突して炎上しました。世界貿易センタービル・ツインタワーの北棟には、8時46分にアメリカン航空11便が突入し爆発炎上、その17分後の9時3分に南棟にユナイテッド航空175便が突入、両機とも残骸は全く原形をとどめないほどの激突でした。その1時間後に南棟が崩壊、さらに30分後に北棟が崩壊し、ツインタワーは両棟とも完全に崩落しました。この跡地はグラウンド・ゼロ（爆心地）とも呼ばれています。

▲航空機の激突で炎上する世界貿易センタービル

の四文字は遠い ……… 2001～2005

アフリカ、西・南・東南アジア	北・東アジア	日本	
2003 イラクのサダム・フセイン元大統領が拘束される	2001 中国がWTO（世界貿易機関）に正式加盟する	2002 小泉首相が北朝鮮を訪問、金正日総書記と会談する	平成時代 2001
サダム・フセイン▶	2003 中国・国家主席に胡錦濤が就任する	2003 イラク復興支援特別措置法が成立する	
2004 イラク・イラク派兵軍と反米勢力との騒乱が拡大する		2004 陸上自衛隊がイラクに派遣される	
	胡錦濤国家主席▶ 写真提供／Agência Brasil	2005 愛知万博が開催される	
2004 スーダン西部のダルフール地方で政府側（アラブ系）と民兵が反政府側（黒人系）を5万人殺害する	2003 韓国・大統領に盧武鉉が就任する		
終報告書を議会に提出	2005 中国・人口が13億人になる	▲愛知万博	2005

イラク戦争

ブッシュ大統領は2002年、イラク、イラン、北朝鮮を「悪の枢軸」と呼び、アメリカとその同盟国に脅威を与えていると批難しました。なかでも、湾岸戦争の敗北後も存在する独裁者サダム・フセインが大量破壊兵器などを保有していると断定され、標的とされました。2003年3月19日アメリカ・イギリス軍がイラクを攻撃、瞬く間にイラク全土を制圧し5月1日には戦闘終結宣言が出されました。その後、アメリカ主導の連合軍暫定当局が統治にあたるものの、襲撃事件や自爆テロが多発します。またイラク人の間でも宗教的・民族的対立が起こり治安は悪化します。

なおサダム・フセインは、2006年12月30日に死刑が執行されました。

写真提供／ロイター＝共同
▲2003年4月、イラン北部のティクリートにある大統領宮殿を占拠したアメリカ海兵隊

世界的金融危機やアラブの市民革命、日本では

	南・北アメリカ	ヨーロッパ	ロシア
2006	**2006** サブプライムローン問題表面化 ⬇	**2006** ロンドン旅客機爆破テロ未遂事件 ⬇	**2007** プーチン大統領の言論弾圧政策に抗議するデモが行われ機動隊と衝突。国内外から非難が高まる
2008	**2008** リーマン・ショックにより金融危機が世界に拡大 ▲リーマン・ブラザーズ・ホールディングスが本社を置いていたタイムズスクエアビル	**2008** ノルウェーのオスロでクラスター爆弾禁止条約調印式が開かれる。94カ国が条約に署名 ▲クラスター弾による攻撃	**2008** ロシア「双頭の鷲」体制へ。ロシア連邦新大統領にドミトリー・メドベージェフが、首相にはウラジミール・プーチンが就任した
2011	**2009** バラク・オバマがアメリカ初の黒人大統領に就任 アメリカ第44代大統領▲ バラク・オバマ	**2011** ノルウェー、反イスラム・移民排斥を主張する連続テロで70人余が死亡	**2010** メドベージェフ大統領、国後島を訪問

サブプライムローン

主にアメリカでサブプライム層〈優良客よりも下位の層〉向けとして位置づけられる、信用度の低い人向けの住宅ローンです。一般的にほかの住宅ローンと比べて利率が高い住宅ローン債権は証券化され、世界各国の投資家へ販売されましたが、2007年夏頃から住宅価格が下落し始め、返済延滞率が上昇し、住宅バブルが崩壊しました。証券は投げ売りされ、2008年終盤のリーマン・ブラザーズ倒産などを引き起こしました。

この問題からニューヨーク証券取引所で株価が暴落する ▶
写真提供／Kowloonese

ロンドン旅客機爆破テロ未遂事件

ロンドン警視庁はイギリスからアメリカとカナダへ向かう最大10機の旅客機を爆破させる大規模なテロ計画を未然に阻止しました。これは、アメリカの主要都市上空で飛行中の旅客機を次々に爆破・空中分解させる計画で、25人の容疑者が逮捕されました。この事件でイギリス、アメリカなど各国でテロ警戒度が最高レベルまで引き上げられました。

▲標的となったヒースロー空港の航空機

東日本大震災が発生　2006～2011

アフリカ、西・南・東南アジア

2008 アフガニスタンのカンダハルで自爆テロ起きる

▲アフガニスタン南部カンダハルで、北大西洋条約機構（NATO）の車列を狙った自爆攻撃で立ち上る煙
写真提供／共同通信社

2010～11 アラブの春。アラブ世界で発生した、前例のない大規模な反政府デモや抗議活動の総称。チュニジアやヨルダン、エジプトやリビアの政権が崩壊

北・東アジア

注目しよう！
21世紀に入り、世界的に民族紛争が増えています。その原因を考えてみることはとても大事です。

2009 中国でウイグル騒乱起こる。ウイグル族と漢民族の民族対立を背景に暴動が発生

2010 上海万博開催

2011 中国で高速鉄道追突事故、40人死亡

日本

2006 北朝鮮の核実験などに抗議するため、北朝鮮への経済制裁を行う

2009 8月、民主・社民・国民新連立内閣発足

2010 調査捕鯨船に、米環境団体の船舶が衝突

▲大破したシーシェパードのアディ・ギル号

2011 3月11日、東日本大震災発生、福島第一原発事故発生⬇

平成時代　2006　2008　2011

東日本大震災と福島第一原発事故

2011年3月11日14時46分18秒、宮城県牡鹿半島の東南東沖130kmの海底を震源とする東北地方太平洋沖地震が発生しました。地震の規模はマグニチュード9.0で、日本周辺における気象庁観測史上最大の地震でした。最大震度は7で、震源域は岩手県沖から茨城県沖までの南北約500km、東西約200kmのおよそ10万kmという広範囲に及びました。この地震により、場所によっては波高10m以上、最大遡上高40.1mにもなる大津波が発生し、東北地方と関東地方の太平洋沿岸部に壊滅的な被害をもたらしました。
このほかにも、北海道南岸から東京湾を含む関東南部に至る広大な範囲で被害が発生し、2012年7月時点で、震災による死者・行方不明者は約1万9000人、建築物の全半壊は39万戸以上に上りました。
さらに、波高14～15mの津波に襲われた東京電力福島第一原子力発電所は、全電源を喪失して原子炉を冷却できなくなり、1号機と3号機で炉心溶融が発生。水素爆発により原子炉建屋が吹き飛び、大量の放射性物質の漏洩を伴う重大な原子力事故に発展しました。このため、原発のある福島県浜通りを中心に、周辺一帯の福島県住民は現在も長期の避難を強いられています。その他に火力発電所等でも損害が出たため、東京電力の管轄する関東地方は深刻な電力不足に陥り、一時期計画停電が実施されました。

欧州に債務危機が深まり、日本では東京

	南・北アメリカ		ヨーロッパ		ロシアと周辺国
2012	2012 アメリカの火星探査機キュリオシティが火星に到着	2012	フランス選挙でオランドが当選	2012	ロシア大統領選で、ウラジミール・プーチンが勝利

▲火星上のキュリオシティ

▲フランソワ・オランド大統領
写真提供／João Pedro Correia

注目しよう！
「反プーチン」を掲げる抗議運動が広がる中、プーチンが大統領職に復帰しました。

アメリカ大統領にバラク・オバマが再選

2012 欧州の債務危機続く⬇

2013 アメリカのスノーデン容疑者、機密情報を暴露した後、ロシアに亡命⬇

2013 ボストンマラソンで爆破テロ事件

2012 欧州合同原子核研究機構（CERN）は新たな粒子を発見したと発表

チェリャビンスク州に隕石落下

▲2度の爆破の様子
写真提供／Aaron "tango" Tang

2012 イギリス・ロンドンにて第30回夏季オリンピック開催

▲観測された隕石雲
写真提供／Svetlana Korzhova

2013

欧州債務危機

2010年代前半に起った、ヨーロッパ（特にユーロ圏）を揺るがした経済危機の連鎖をいいます。ギリシャの問題に端を発した債務危機が、南欧からユーロ圏、欧州へと広域に連鎖していったもので、欧州の根本的な問題を露呈することになりました。

アメリカの収集活動を暴露

アメリカ機関、国家安全保障局（NSA）が秘密裏に個人の通信情報を収集していたことを、元アメリカ中央情報局（CIA）職員エドワード・スノーデンが暴露しました。政府はテロ阻止のためだと正当化しましたが、批判が噴出。アメリカ当局に訴追された同容疑者は、香港滞在を経てロシアに亡命しました。

エドワード・スノーデン　写真提供／Derived ▶

五輪の開催が決定 2012～2013

アフリカ、西・南・東南アジア

2013 アルジェリアで事件、邦人10人犠牲 シリアで内戦激化

▲バッシャール・アサドの集会
写真提供／Sammy.aw

2013 エジプト政変、モルシ政権が軍によるクーデターで崩壊

2013 フィリピン台風、死者・不明7千人

2013 イラン・核協議で合意

北・東アジア

2012 金正恩、第1書記に

▲朝鮮民主主義人民共和国第3代最高指導者 金 正恩
写真提供／Kremlin.ru

2012 韓国大統領に朴槿恵が女性として初当選

2013 中国・南沙諸島海域で人工島建設⬇

中国・尖閣上空に「防空識別圏」を設定

日本

2012 山中教授にノーベル生理学・医学賞

「iPS細胞」を研究した山中 伸弥氏▶
写真提供／文部科学省

2013 夏季五輪開催・東京に決定⬇

▲歓喜する東京五輪招致委員会のメンバー
写真提供／nippon.com

環太平洋連携協定（TPP）交渉に参加

2012 平成時代

2013

南沙諸島海域における中国の人工島建設

中国が問題で周辺国と争いのある南シナ海の南沙諸島で、埋め立てによる人工島の建設を開始、周辺諸国との摩擦が増大しました。フィリピンは常設仲裁裁判所に対して仲裁を要望しました。2016年7月、オランダ・ハーグの常設仲裁裁判所は、「国際法上の法的根拠がなく、国際法に違反する」とする判断を下しています。

埋め立てが進むスビ礁（2015年5月）▶

2020年五輪が東京開催に

2013年9月8日（日本時間）にブエノスアイレスで開かれた国際オリンピック委員会（IOC）総会で、東京がマドリード（スペイン）、イスタンブール（トルコ）を破り、2020年夏季五輪・パラリンピックの招致に成功しました。東京は16年大会に続く2度目の挑戦で、1964年以来56年ぶりの2回目となる夏季五輪開催にこぎつけました。

世界各地でテロが多発、日本では北[...]

南・北アメリカ

2014 アメリカとキューバ国交正常化交渉の開始を発表

▲パナマで初の首脳会談に臨むバラク・オバマ（右）とラウル・カストロ

2015 環太平洋パートナーシップ（TPP）協定交渉

米軍、南シナ海で「航行の自由作戦」を行う

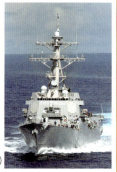
ラッセン▶（ミサイル駆逐艦）

2015

ヨーロッパ

2014 イギリス・スコットランド住民投票で独立否決

▲独立を求めるデモの様子

2015 フランスでテロが多発 ⬇

2015 中東難民、欧州に殺到する

▲定員超過の移民船の救助に当たるアイルランド海軍
写真提供／Irish Defence Forces

ロシアと周辺国

2014 ウクライナ南部クリミア半島にロシアが軍事介入。ウクライナ危機深刻化

2015 ロシアなど3ヵ国がユーラシア経済連合条約に署名 ⬇

▲最高ユーラシア経済評議会（加盟国の首脳）

2015 ロシア軍爆撃機撃墜事件

▲撃墜されたSu-24　写真提供／Mil.ru

フランス・パリ同時多発テロ事件

2015年1月にパリで週刊誌「シャルリー・エブド」社が国際テロ組織アルカイダに共鳴するイスラム過激派に襲撃されて以降、過激派組織「イスラム国」（IS）などによるテロが各地で多発しました。11月にも、パリで同時テロが発生し、130名が犠牲、負傷者は300名以上になりました。

▲パリ同時多発テロの犠牲者を追悼している人々
写真提供／Mstyslav Chernov

ユーラシア経済連合

ロシア、ベラルーシ、カザフスタンの首脳が5月29日、カザフスタンの首都アスタナで開催された最高ユーラシア経済評議会で、ユーラシア経済連合（EEU）条約に署名しました。同条約は、2015年1月に、資本や労働力の移動自由化や域内のモノ・サービス市場の統合プロセスが始まり、アルメニア、キルギスも同連合へ加盟しました。

2014〜2015
新幹線が開業

アフリカ、西・南・東南アジア	北・東アジア	日本	
2014 ISILがイスラム国家樹立を宣言⬇ アメリカがISILに対し空爆を開始	2014 香港民主化運動、幹線道路を占拠	2014 長野、岐阜県境の御嶽山が噴火	2014 平成時代

注目しよう！
イスラム過激派「ISIL」が勢力を拡大し、地域の情勢が深刻化しました。

▲9〜12月まで学生たちが行った中国政府への抗議運動
写真提供／Pasu Au Yeung

▲噴煙を上げる御嶽山
写真提供／Alpsdake

2014 イスラム勢力台頭、エジプト大統領にモハメド・モルシ	2015 中国と台湾の首脳が初会談	2014 日本人3人がノーベル物理学賞を受賞⬇	
		2015 北陸新幹線が開業	

▲習近平(右)と馬英九(左)

▲北陸新幹線W7系W1編成
写真提供／MaedaAkihiko

2015 ミャンマーでアウンサンスーチー率いる野党国民民主連盟が大勝し、政権交代	2015 中国主導のインフラ銀行設立	2015 又吉直樹氏の『火花』、大ベストセラーに	
2015 シンガポールのリー初代首相が死去	2015 慰安婦問題で日韓合意	2015 日本人科学者2人がノーベル賞受賞⬇	2015

ISILに対する空爆

イスラム過激組織「イラク・シリアのイスラム国」が6月、指導者のバグダディ容疑者をカリフとする「イスラム国」の樹立を宣言。イラク北西部からシリア北東部を事実上支配しました。米軍は8月、イラク領内でイスラム国を標的とした空爆を開始。オバマ政権は有志連合を形成し、9月に開始したシリア空爆にはサウジアラビアなどの中東諸国も加わりました。

ISILの旗を担いだ戦闘員▶

日本人のノーベル賞受賞

2014年に青色発光ダイオード(LED)の開発で、赤崎勇名城大教授と天野浩名古屋大教授、中村修二米カリフォルニア大サンタバーバラ校教授がノーベル物理学賞を受賞しました。2015年は大村智・北里大特別栄誉教授と梶田隆章・東京大宇宙線研究所長がそれぞれ受賞しました。

アメリカで新大統領が就任し、日本で

	南・北アメリカ		ヨーロッパ		ロシアと周辺国
2016		2016		2016	
	2016 ブラジル・リオデジャネイロで南米初のオリンピック開催	2016	ベルギー・ブリュッセル空港で爆破テロ	2016	ロシア連邦下院選挙で政権与党「統一ロシア」が圧勝、プーチン大統領の権力基盤がより強固なものに
	2016 アメリカ合衆国大統領選挙で、共和党ドナルド・トランプが当選。第45代大統領となる ⬇	2016	イギリス、EU離脱を決定 ⬇		
			▲後任のテリーザ・メイ首相 写真提供／Number10	2016	モスクワで126年ぶりの寒さとなる氷点下29.9℃を観測
	注目しよう！ 2021年1月まで大統領を務めたトランプ氏。世論調査では退任後も共和党支持者の間で高い支持があります。	2017	フランス大統領選にマクロンが当選	2016	サンクトペテルブルク地下鉄爆破テロ事件 死者15人、負傷者64人
	2016 キューバのフィデル・カストロが死去 フィデル・カストロ▶		▲エマニュエル・マクロン大統領	2017	ロシア反汚職指導者ナワリヌイ氏、反汚職デモを計画
2017	2017 メキシコ地震、死者369人				

トランプ・米政権発足、混乱続く

共和党のドナルド・トランプが2017年1月20日、第45代米大統領に就任しました。トランプは就任演説で「米国第一主義」を宣言し、直後に環太平洋連携協定（TPP）からの離脱を指示。オバマ前政権からの様変わりは世界に衝撃を与えました。さらに地球温暖化対策の国際枠組み脱退も表明。内政ではイスラム圏からの入国禁止や国境の壁建設を打ち出しました。　　　第45代ドナルド・トランプ大統領▶

イギリス、EU離脱

2016年6月23日、イギリスの欧州連合（EU）離脱の是非を問う国民投票において51.9％対48.1％で離脱が残留を上回り、欧州連合離脱が決定しました。投票結果を受け、残留を訴えていたキャメロン首相（当時）は辞意を表明しました。

熊本地震が発生 2016～2017

アフリカ、西・南・東南アジア

2016 フィリピン大統領選挙でロドリゴ・ドゥテルテが当選

▲ロドリゴ・ドゥテルテ フィリピン大統領

2016 ジャカルタで自爆テロ、15人死傷

2016 北朝鮮の金正恩党委員長の異母兄・金正男氏がマレーシアで殺害される

2016 イスラム国（IS）が事実上崩壊

北・東アジア

2016 中華民国総統選挙で、台湾初の女性総統が誕生

蔡英文 台湾総統▶

2016 第11回金融・世界経済に関する首脳会合（G20杭州サミット）を中国で開催

2017 韓国大統領に文在寅が就任

ムンジョエイン
文在寅
大統領▶

日本

2016 北海道新幹線が開業

2016 熊本地震発生

▲激震で倒壊した家屋（熊本県益城町）
写真提供／Hajime NAKANO

2016 新元素名に「ニホニウム」

2017 将棋・藤井聡太四段、前人未到の29連勝

藤井聡太 棋士▶
写真提供／古賀円

平成時代　2016〜2017

韓国大統領に文在寅が就任

韓国大統領選で勝利した最大野党「共に民主党」の文在寅は2017年5月10日、就任宣誓を行いました。北朝鮮を訪問する用意があると表明し、米軍の新型迎撃ミサイル・サード配備を巡る米中と協議する考えも示しました。文大統領は、国内では今回の選挙につながった朴槿恵前大統領の罷免、それを巡る社会の不満や分断、対外的には挑発を続ける北朝鮮への対応をはじめ、米国や中国などとの微妙な関係に難しい舵取りを迫られます。

日本が命名した113番元素「ニホニウム」

2016年11月30日、森田浩介博士（九州大学）らが発見した原子番号113番の新元素の名前が「ニホニウム」（元素記号はNh）に正式に決まったと発表しました。科学者でつくる国際純正・応用化学連合（IUPAC）が、森田氏らが提案した名前を採用しました。物質を形づくる基本的な要素である元素を、日本の科学者が命名するのは初めてです。

史上初の米朝首脳会談、日本は森友学

	南・北アメリカ	ヨーロッパ	ロシアと周辺国
2018	2018 アメリカが輸入制限を発動、米中摩擦が激化 トランプ大統領、イラン核合意離脱表明 史上初の米朝首脳会談、緊張緩和進む ▲アメリカのドナルド・トランプ大統領（右）と北朝鮮の金正恩（左） カナダで大麻解禁 麻の葉▶	2018 イギリスで元スパイへの神経剤襲撃事件⬇ イギリス チャールズ太子の次男ヘンリー王子とアメリカ出身の女優と挙式 メルケル・ドイツ首相が党首退任へ 注目しよう！ 中東などから100万人以上の難民や移民を受け入れたメルケル首相。その後、世論は一変し政界から引退表明。 トルコのサウジアラビア総領事館で記者殺害	2018 サラトフ航空703便の旅客機がドモジェドヴォ空港を離陸直後に墜落、乗員乗客71人全員が死亡 ケメロヴォ州・ケメロヴォのショッピングセンターで火災が発生し、64人が死亡、70人以上が負傷 東ヨーロッパで初となるFIFAワールドカップがロシアで開催 ▲優勝したフランス代表 写真提供／Kremlin.ru

カナダで大麻解禁

カナダは10月17日、嗜好品としてのマリファナ（大麻）の所持・使用を合法化しました。カナダは主要7カ国（G7）で初めて、娯楽目的の大麻使用を合法化する国となりました。カナダのトルドー首相は、犯罪組織への資金源断絶のほか、多くの国民が非合法で使用していた大麻の生産、流通、消費を規制下に置くことを目的に、大麻合法化を2015年の公約の1つに掲げています。

ジャスティン・トルドー首相　写真提供／Eurasia Group▶

イギリスで元スパイへの神経剤襲撃事件

イギリスで3月4日、旧ソ連が開発した神経剤「ノビチョク」で襲われたロシア軍の元情報機関員と娘が意識不明の状態で見つかりました。メイ首相は、この事件に「ロシアが国家として犯罪にかかわっている」とし、ロシアの外交官23人を英国から追放、加えて26カ国の同調国が、130人以上の外交官を追放しました。

問題が起こる　2018

アフリカ、西・南・東南アジア

2018

マレーシア総選挙で野党勝利、独立以来初の政権交代

在イスラエル米大使館がエルサレムに移転 ⬇

▲エルサレムにある在イスラエルアメリカ合衆国大使館

タイの洞窟で少年ら13人全員救出

インドネシア地震・津波、死者2000人以上

北・東アジア

2018

中国主席の任期撤廃、長期政権可能に

韓国で平昌冬期五輪開催

▲平昌オリンピック・スタジアム
写真提供／Kim Youngjun

金正恩が訪中、習主席と会談

南北首脳会談、朝鮮半島非核化で合意

日本

2018

東京の築地市場83年の歴史に幕。豊洲へ移転

▲築地市場

財務省が森友文書改ざん、20人処分 ⬇

▲財務省本庁舎　写真提供／Rs1421

6月28日から7月8日、西日本豪雨が起こる

9月6日、北海道胆振東部地震が発生

平成時代　2018

在イスラエル米大使館がエルサレムに移転

イスラエル建国から70年を迎える5月14日、アメリカは在イスラエル大使館を首都テルアビブからエルサレムに移しました。トランプ米大統領がエルサレムをイスラエルの首都と宣言したことを受けて、「エルサレムの地位はイスラエルとパレスチナの和平交渉で決める」としてきた従来の中東政策を転換。エルサレムにはユダヤ教、キリスト教、イスラム教の聖地が集まります。

財務省が森友文書改ざん、20人処分

財務省は6月4日、学校法人「森友学園」への国有地売却をめぐる文書改ざん問題で、当時財務局長だった佐川宣寿局長ら職員20人の処分を発表しました。財務省が決裁文書の改ざんや学園側との交渉記録の廃棄という不正に手を染めていたことが明らかになりました。麻生財務相は会見で、文書改ざんは「あってはならないことであり誠に遺憾」と陳謝しました。

香港で100万人規模のデモが激化、日本

	南・北アメリカ		ヨーロッパ		ロシアと周辺国
2019	2019 ベネズエラで国会議長が暫定大統領に就任宣言、大統領と対立	2019	フランス・パリのノートルダム大聖堂で大火災	2019	サンクトペテルブルク国際経済フォーラム開催
	2019 トランプ・アメリカ大統領、国境の壁建設へ国家非常事態を宣言			2019	ロシアと中国で首脳会談、露中エネルギービジネスフォーラムを開催
	▲国境付近で視察するトランプ大統領		▲激しく燃える大聖堂 写真提供／Milliped	2019	アメリカとロシアINF全廃条約が失効
	2019 米中貿易摩擦激化	2019	イギリス首相にボリス・ジョンソン		
	2019 16歳グレタさん、国連で演説	2019	第45回先進国首脳会議（G7サミット）開催		
	グレタ・トゥンベリさん▶ 写真提供／Anders Hellberg		▲第45回先進国首脳会議（G7サミット）		

注目しよう！
米ロ間のINF全廃条約が失効し、新たな軍拡競争への懸念が強まっています。

トランプ・アメリカ大統領、国境の壁で重要発表

トランプ米大統領は2月15日、メキシコとの国境に壁を建設する資金を確保するため、同国境に関する国家非常事態を宣言。国防総省予算も転用し、建設を強行しました。遡る2015年6月に共和党の支持者では、「壁」の建設を支持すると答えたのは、実に9割近くにのぼりました。壁の建設は、トランプ大統領の「公約実現」のシンボル。翌年の大統領選挙をにらみ、壁を政治的な道具として利用しているように見えます。

第45回先進国首脳会議（G7サミット）開催

このサミットは、議長を務めるフランスのマクロン大統領が掲げた「不平等との闘い」などを新たなテーマに設定。やはり、議論の中心は、世界経済・貿易と安全保障、環境問題などでした。アウトリーチ国や国際機関、市民社会の参加も得て意見交換を行い、成果文書として、G7首脳が合意した事項を簡潔にまとめた「G7ビアリッツ首脳宣言」等を発出しました。

新元号は「令和」に 2019

アフリカ、西・南・東南アジア

- 2019 スリランカで同時爆破テロ
- 2019 インドネシア大統領にジョコ氏再選

▲ジョコ・ウィドド大統領

- 2019 インド総選挙、モディ首相の与党勝利
- 2019 コンゴでエボラ「緊急事態」

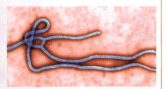
▲電子顕微鏡で見たエボラウイルス粒子

北・東アジア

- 2019 中国の探査機が月の裏側着陸に成功

▲嫦娥4号
写真提供／CSNA/Siyu Zhang

- 2019 香港で学生らが大規模デモ

▲2019年6月9日のデモ
写真提供／Hf9631

- 2019 中国の習国家主席が北朝鮮の平壌で金正恩総書記と会談

日本

- 2019 「令和」へ御代替わり
- 2019 G20大阪サミット開催
- 2019 沖縄の首里城が火災で正殿など焼失

▲2019年に焼失し、再建作業が始まった首里城　写真提供／Indiana jo

- 2019 ローマ教皇が38年ぶり来日

▲安倍晋三内閣総理大臣と会談するローマ教皇　写真提供／内閣官房内閣広報室

令和時代 2019

コンゴでエボラ「緊急事態」

世界保健機関（WHO）は7月17日、コンゴ民主共和国で流行が続くエボラ出血熱について、「国際的に懸念される公衆衛生上の緊急事態（PHEIC）」を宣言しました。PHEICが宣言されるのは史上5度目となりました。コンゴでは、これまでに1600人以上が死亡しています。コンゴとルワンダ国境の街で、人口100万人以上の東部ゴマでも症例が確認されました。

令和へ御代替わり

5月1日、天皇陛下の即位と同時に元号が平成から「令和」に改まりました。約200年ぶりの天皇の退位に伴う改元で、政府は1カ月前の4月1日、有識者会議などを経て新元号を決めました。出典は「万葉集」で、元号の漢字を日本の古典（国書）から採用したのは確認できる限り初めてでした。安倍晋三首相は「人々が美しく心を寄せあうなかで、文化が生まれ育つという意味が込められている」と説明しました。

世界中に新型コロナウイルスが感染拡大、日本

	南・北アメリカ		ヨーロッパ		ロシアと周辺国
2020	2020 アメリカ軍、イラン革命防衛隊司令官を殺害	2020	イギリスがEUを離脱 イタリア、新型コロナで死者1万人に	2020	ロシアが憲法改正 プーチン5選可能に
	2020 WHO、新型コロナウイルスのパンデミック表明	2020	エーゲ海沿岸にM7.0の地震が発生、トルコとギリシャで死者		
	2020 米中貿易摩擦激化				
	2020 アメリカ黒人男性死亡で抗議デモ⬇				
	2020 アメリカで民間初の有人宇宙船打ち上げ			2020	ロシア反政権指導者、毒物で重体
		2020	フランス、新型コロナで外出制限再発動⬇	2020	ベラルーシ大統領6選、不正疑惑で抗議デモ

注目しよう！

新型コロナウイルス感染症のワクチンの開発が急ピッチで進められて、ロシアではいち早く正式に承認。「スプートニクV」と名付けられました。

▲ISSに接近するドラゴン2

▲トルコのイズミルで倒壊した建物　写真提供／ApChrKey

▲外出制限中のフランス・ボルドー地区

アレクサンドル・ルカシェンコ▶
写真提供／Kremlin.ru

アメリカ黒人男性死亡で抗議デモ

アメリカ・ミネソタ州で5月25日、黒人のジョージ・フロイド氏が白人警官に首を膝で押さえつけられ、搬送先の病院で死亡しました。抗議デモは26日から始まり、黒人男性が拘束され、交差点には数百人が集まりました。抗議デモが全米だけでなく世界に広がりました。

抗議者たちによるデモの様子▶
写真提供／Lorie Shaull

フランス、新型コロナで外出制限再発動

新型コロナウイルスの感染拡大が止まらない欧州で、行動制限などの対策が広がりました。フランスのマクロン大統領は10月28日、少なくとも30日から12月1日まで全土で外出を制限すると発表。マクロンはテレビで、外出理由として認めるのは通勤、通学、通院、買い物、軽い運動などで理由を書いた申告書を持ち歩く必要があると発表しました。

初の緊急事態宣言 2020

アフリカ、西・南・東南アジア	北・東アジア	日本	令和時代
2020 イランがウクライナ旅客機を撃墜	2020 台湾総統選で蔡英文が再選	2020 東京五輪、1年延期に	2020
2020 イスラエルで新政権発足。1年以上の混乱収束	2020 韓国総選挙で与党が歴史的圧勝	2020 新型コロナ猛威、初の緊急事態宣言⬇	
2020 インド総選挙、モディ首相の与党勝利	2020 香港の国家安全維持法が施行	2020 九州で豪雨、死者多数	
2020 中国・インド両軍がカシミールで衝突			
2020 タイ、反政府集会に1万人⬇	▲デモの参加者 写真提供／Hf9631	2020 安倍政権総辞職、菅義偉内閣発足へ	
▲プラユット・チャンオチャ首相	2020 台湾の李登輝・元総統死去。アメリカは厚生長官が訪台。閣僚は6年ぶり	▲新型コロナウイルス感染症対策本部 写真提供／首相官邸ホームページ / 菅義偉首相▶ 写真提供／首相官邸ホームページ	

タイ、反政府集会に1万人

タイのバンコクで8月16日、王室の制度改革などを要求する反政府集会が開かれ、学生を中心に1万人以上が参加しました。政権は集会参加者を摘発するなど強硬姿勢で臨んだ一方、デモは数千台の車やバイクがバンコク市内を平和的に行進。多くの住民が通りに出て応援を送り、支持の姿勢を示しました。政府のコロナ対応への不満からプラユット首相の辞任を求めました。

新型コロナ猛威、初の緊急事態宣言

1月16日、中国からの帰国者の新型コロナウイルス感染が国内で初めて判明しました。2月に入ると海外渡航歴のない人の感染が相次ぎ、13日には国内初の死者が確認されました。感染拡大は止まらず、4月7日には7都府県を対象に新型インフルエンザ対策特別措置法に基づく緊急事態宣言を初めて発令し、同16日には全国へ拡大。可能な限りの外出自粛などを国民に要請しました。

新型コロナは「オミクロン株」へ変異、日本は

	南・北アメリカ	ヨーロッパ	ロシアと周辺国
2021	2021 トランプ支持者、米議事堂占拠 ⬇	2021 イギリス、空母をインド太平洋へ派遣	2021 ロシアとアメリカがSTARTを5年延長 ⬇
	▲議会議事堂の建物外に集結した群衆 写真提供／Tyler Merbler	2021 G7首脳宣言、台湾問題に初言及 ▲討議するG7の首脳 写真提供／首相官邸ホームページ	2021 ベラルーシ当局、民間機を強制着陸させ反政権派を拘束
	2021 バイデン大統領就任 ジョー・バイデン大統領▶	2021 ドイツなどの豪雨災害で死者多数	2021 プーチン・ロシア大統領、北方領土の特別地区設置を発表
	2021 キューバで共産党第1書記退任。カストロ兄弟の統治終幕	2021 イギリスでCOP26開幕 ▲岸田首相とオーストラリア連邦首相スコット・モリソン 写真提供／首相官邸ホームページ	2021 ノーベル平和賞にフィリピン、ロシアのジャーナリスト ▲ドミトリー・ムラトフ氏 写真提供／Olaf Kosinsky
	2021 オミクロン株、急拡大		

トランプ氏支持者、米議事堂占拠

2020年11月の大統領選の選挙人投票集計を行う連邦議会で1月6日、議事堂周辺に集まったトランプ大統領支持者の一部が、警備を破り建物内に侵入。これを受けて議事堂は閉鎖され、上下両院合同本会議の討議も中断されました。警官隊との衝突などで、警官1人を含む計5人が死亡。平和的な政権交代を前提としてきたアメリカのシステム全体が、暴力と不安定さを目の当たりにすることとなりました。

ロシアとアメリカが新STARTを5年延長

アメリカのバイデン大統領とロシアのプーチン大統領は1月26日に電話協議し、米ロの新戦略兵器削減条約（新START）を2026年まで5年間の延長で大筋合意しました。ロシア側は数日中に手続きを完了するとしています。2月5日に条約の期限が迫るなか、延長で核軍縮交渉を継続する見通しとなりました。

1年遅れで五輪開催　2021

アフリカ、西・南・東南アジア

2021　ベトナム書記長、3期目決定

▲グエン・フー・チョン書記長

2021　ミャンマー、国軍がクーデター

2021　イスラエルで12年ぶりの政権交代

2021　タリバン、アフガン掌握

北・東アジア

注目しよう！
中国政府は企業への統制を強化。さらに「共同富裕」の理念のもとに、富裕層や教育分野まで統制強化が目立つようになります。

2021　中国当局、IT大手に巨額の罰金。IT企業統制を

2021　中国探査機が火星着陸に成功

2021　香港で「反中紙」廃刊

2021　韓国の与党大統領候補に京畿道知事

日本

2021　東京オリンピック2020開幕

▲開会式の花火
写真提供／Rede do Esporte

2021　自民総裁に岸田氏、首相就任

岸田文雄内閣
総理大臣▶
写真提供／首相官邸ホームページ

2021　秋篠宮眞子さま、小室圭さん結婚

2021　コロナ変異株が猛威

令和時代　2021

香港で「反中紙」廃刊

中国共産党に批判的な香港紙・蘋果日報（アップル・デイリー）を発行する壱伝媒（ネクスト・デジタル）は廃刊を決め、新聞は6月24日付が最後となりました。香港国家安全維持法に基づいて当局に資産を凍結され、事業継続を断念しました。

蘋果日報 本社▶
写真提供／Prosperity Horizons

東京オリンピック2020開幕

第32回夏季五輪東京大会が、コロナを理由とした史上初の1年延期を経て、7月23日に開幕しました。205カ国・地域と難民選手団から選手約1万1000人が参加。8月8日まで17日間の会期中、感染対策に取り組みながら、史上最多の33競技339種目に臨みました。1964年東京大会以来、2度目となる国内での夏季五輪に、日本選手は過去最多の583人が参加しました。

ロシアがウクライナに侵攻開始、日本は安倍元

	南・北アメリカ		ヨーロッパ		ロシアと周辺国
2022		2022		2022	

	南・北アメリカ	ヨーロッパ	ロシアと周辺国
2022	カナダ、緊急事態法を発動＝コロナ対策抗議デモに対応	トルコでウクライナ停戦交渉	ロシアのウクライナ侵攻 🔻
2022	ペルー日本大使公邸占拠事件、25年で式典	スウェーデンとフィンランド、NATO加盟申請	マリウポリ危機深まる＝ウクライナ
2022		ダボス会議、2年ぶり対面開催 🔻	
2022		エリザベス英女王が死去、ウェストミンスター寺院で国葬	国連総長、ウクライナと会談
2022	リオのカーニバル、2年ぶり復活		ゴルバチョフ元ソ連大統領死去
2022	核拡散防止条約（NPT）会議、再び決裂		

▲突入作戦の訓練用に造られた、在ペルー日本大使公邸のレプリカ　写真提供／Elelch

ウォロディミル・ゼレンスキー大統領▶
写真提供／President of Ukraine

▲国葬の後、ウェストミンスター寺院を出発する行列
写真提供／Department for Digital, Culture, Media and Sport

▲安置されたゴルバチョフ氏の遺体
写真提供／SergioOren

ダボス会議、2年ぶり開催

世界経済フォーラムの年次総会（ダボス）が5月22日、スイス東部ダボスで開かれました。ロシアのウクライナ侵攻を受け、新たな世界秩序などが主な議題です。ウクライナのゼレンスキー大統領が23日にオンラインで演説。ウクライナ侵攻後の国際政治、インフレ進行を踏まえた世界経済の見通し、食料危機や気候変動対策などを話し合い、26日まで行われました。

ロシアのウクライナ侵攻

ロシアのプーチン大統領が2月24日、ウクライナでの軍事作戦に踏み切りました。ウクライナの親ロシア派からの軍事支援要請の発表から約6時間後の24日早朝。プーチンはテレビを通じた国民向け演説で電撃的に軍事作戦の開始を宣言し、世界中に大きな衝撃を与えました。プーチンは21日の大統領令で、ウクライナ東部の親ロ派支配地域に「平和維持」名目でロシア軍を派遣するよう指示しました。

相銃撃事件が起こる　2022

アフリカ、西・南・東南アジア

- 2022 トンガで海底火山噴火、近隣国で津波発生

▲火山灰に覆われる島の様子
写真提供／NZ Defence Force

- 2022 オーストラリア、9年ぶり政権交代
- 2022 ラジャパクサ大統領が国外脱出、スリランカ経済危機
- 2022 パキスタンで洪水深刻化。国土の3分の1が冠水

北・東アジア

- 2022 北京冬季五輪開催
- 2022 中国でコロナ感染拡大、上海などでロックダウン
- 2022 親中タカ派の李氏、香港行政長官当選
- 2022 韓国の尹錫悦が新大統領就任

尹錫悦大統領▶

- 2022 中国で「反ゼロコロナ」⬇

日本

- 2022 航空自衛隊F15戦闘機が石川県沖の日本海に墜落

▲2021年に撮影された事故機
写真提供／Nakato Kaccoe

- 2022 知床半島沖で観光船遭難。観光客ら26人行方不明に
- 2022 安倍晋三銃撃事件

注目しよう！
7月8日の安倍氏暗殺事件は、多くの人に衝撃を与えました。戦後初めての首相経験者が銃撃により暗殺された事件だからです。

- 2022 安倍元首相の国葬 国内外から4300人参列⬇

令和時代　2022

中国で「反ゼロコロナ」
新型コロナウイルスを徹底的に封じ込める中国政府の「ゼロコロナ」政策に抗議する住民らの活動が広がりました。上海市や北京市、新疆ウイグル自治区での大規模な抗議行動の映像がインターネットに出回りました。都市封鎖など厳しい政策で経済は停滞、感染者数は過去最高水準まで増加し、国民の不満が一段と高まりました。言論統制が厳しい中国・北京でこれほど大規模な抗議活動が起きるというのは衝撃的です。

安倍元首相の国葬
政府は9月27日、日本武道館（東京・千代田）で安倍晋三元首相の国葬を行いました。国内の政財界や各国・地域・国際機関の代表ら4183人が参列しました。一般献花に訪れた人は午後6時時点でおよそ2万3000人でした。

安倍晋三氏の国葬儀▶
写真提供／首相官邸ホームページ

トルコ、シリアでM7.8の地震、日本は侍ジャ

南・北アメリカ		ヨーロッパ		ロシアと周辺国	
2023	ブラジルでボルソナロ氏の支持者が議会侵入 ▲議会を襲撃するボルソナロ前大統領の支持者ら	2023	フランスで100万人超がデモ＝定年引上げに抗議	2023	ウクライナ侵攻「全国民が支持」＝プーチンが官製集会
2023	海底に破片、5人の生存絶望＝タイタニック見学の潜水艇	2023	フィンランドが正式加盟＝NATO北方拡大、31ヵ国に ▲フィンランドとNATOの国旗	2023	ウクライナで原発の取水ダム爆破、決壊へ ▲カホフカダムの破壊によって冠水した下流域
2023	ハワイ・マウイ島で大規模な山火事 ▲マウイ西部の山火事 写真提供／Patorikku T faron	2023	イギリスで70年ぶり戴冠式⬇ ▲国王チャールズ3世と王妃カミラの戴冠式 写真提供／Isaac Mayne	2023	ロシアで民間軍事会社ワグネル反乱
				2023	ロシア・プリゴジン氏の死亡確認⬇ エフゲニー・プリゴジン氏▶

イギリスで70年ぶり戴冠式

イギリスで70年ぶりに国王の戴冠式が開かれ、チャールズ国王に王冠が授けられました。5月6日、ロンドンのウェストミンスター寺院で実施。イギリス国教会のカンタベリー大主教が、1661年に作られた王冠をチャールズ国王に授けました。1000年以上の歴史があるイギリスの戴冠式は、1953年のエリザベス女王以来70年ぶりで、各国の要人およそ2000人が出席しました。

ロシア・プリゴジン氏の死亡確認

ロシアの民間軍事会社ワグネル創設者、エフゲニー・プリゴジン氏が反乱を起こした日から約2カ月たった8月23日、同氏が乗ったとみられるジェット機が墜落。ロシア連邦捜査委員会はその後のDNA鑑定で、同氏の死亡を公式に確定しました。プーチン政権下では、体制にたてつく人物の不審死や暗殺などが繰り返されており、今回の事件も政権の関与を疑う見方が出ています。

ンが野球世界一に **2023**

アフリカ、西・南・東南アジア	北・東アジア	日本	2023
2023　パキスタンで自爆テロ、死者100人以上に	2023　韓国の尹錫悦大統領が初来日	2023　文化庁、京都で業務開始＝中央省庁初の移転	令和時代
2023　トルコ、シリアでM7.8の地震発生 ▼	2023　中国の習主席、約4年ぶりロシア訪問		
▲トルコの被災した建物 写真提供／Hilmi Hacalo lu	▲ロシアのプーチン大統領と習近平国家主席	2023　侍ジャパン、世界一奪還＝WBC ▼	
2023　タイ新首相にセーター氏が選出	2023　北朝鮮「戦勝70年」で7月に軍事パレード	決勝会場のローンデポ・パーク▶ 写真提供／Roberto Coquis	
2023　パレスチナ・イスラエル紛争、深まる		2023　大谷翔平、大リーグでホームラン王を獲得。日本選手初の快挙	
▲イスラエル軍によるガザ地区に対する攻撃 写真提供／Palestinian News	▲軍事パレードの様子	2023　藤井聡太、史上最年少で王座奪取と八冠達成	

注目しよう！
日本が優勝を飾った、野球世界一決定戦(WBC)は、日本中が感動した試合でした。

トルコ、シリアでM7.8の地震発生

2月6日の10時17分(日本時間)トルコとシリアの国境付近を震源とするM7.8の大きな地震が起こりました。さらに余震もあり、両国で死者約5万6000人、トルコ国内で倒壊や大きな損傷を受けた建物が20万棟を超えました。家を失うなどの大きな影響を受けた人は、トルコの人口の約16％、約1400万人に及ぶと言われています。

侍ジャパン、世界一奪還＝WBC

野球の地域別対抗戦「ワールド・ベースボール・クラシック(WBC)」は3月21日にアメリカ・マイアミでの決勝で日本代表「侍ジャパン」が連覇を狙ったアメリカ代表を3-2で破り、今大会7戦全勝で3大会ぶり3度目の優勝を飾りました。2回に先制されたものの、村上宗隆のホームランで同点に追いつくと、その後逆転。1点リードで迎えた9回に大谷翔平が登板し、マイク・トラウトを空振り三振に抑えてV奪還を決めました。

さくいん（アイウエオ順ページ検索）

※さくいんの項目について、年表が見開きになっていますので、右ページに項目がある場合もすべて偶数ページ（左ページ）で表記しています。
※その項目が繰り返し出てくる場合、最初に表記したページのみを記載しています。

ア

- アーヘンの和約・・・・・・・・・・・・・・・・62
- INF全廃条約・・・・・・・・・・・・・・・・128
- アイグン条約・・・・・・・・・・・・・・・・72
- アイゼンハワー・・・・・・・・・・・・・・94
- 愛知万博・・・・・・・・・・・・・・・・・・・・116
- アイユーブ朝・・・・・・・・・・・・・・・・44
- アウンサンスーチー・・・・・・・・・・120
- アキノ氏暗殺・・・・・・・・・・・・・・・・108
- アケメネス朝・・・・・・・・・・・・・・・・14
- 浅沼稲次郎・・・・・・・・・・・・・・・・・・100
- アショーカ王・・・・・・・・・・・・・・・・20
- アタナシウス派・・・・・・・・・・・・・・28
- アッシリア・・・・・・・・・・・・・・・・・・14
- アッバース朝・・・・・・・・・・・・・・・・36
- アパルトヘイト・・・・・・・・・・・・・・112
- アフガニスタン侵攻・・・・・・・・・・106
- アフガニスタン和平協定・・・・・・110
- アフリカ統一機構・・・・・・・・・・・・102
- 安倍晋三銃撃事件・・・・・・・・・・・・134
- アヘン戦争・・・・・・・・・・・・・・・・・・70
- アポロ11号・・・・・・・・・・・・・・・・・・102
- アメリカ13州独立宣言・・・・・・・・64
- アメリカ＝スペイン戦争・・・・・・76
- アメリカ1800年の革命・・・・・・・・66
- アメリカ反奴隷制協会・・・・・・・・70
- アメリカ・メキシコ戦争・・・・・・70
- アメリカ労働総同盟・・・・・・・・・・76
- アメリカ・ロシアSTARTⅡ調印・・・112
- 新井白石・・・・・・・・・・・・・・・・・・・・60
- アラブの春・・・・・・・・・・・・・・・・・・118
- アリストテレス・・・・・・・・・・・・・・18
- アルジェリア人質事件・・・・・・・・120
- アレクサンドル・ルカシェンコ・・・130
- アレクサンドロス・・・・・・・・・・・・18
- アロー戦争・・・・・・・・・・・・・・・・・・72
- アンゲラ・メルケル首相・・・・・・126
- アンコール・ワット・・・・・・・・・・44
- 暗黒の木曜日・・・・・・・・・・・・・・・・88
- アン女王戦争・・・・・・・・・・・・・・・・60
- 安政の大獄・・・・・・・・・・・・・・・・・・72

イ

- 井伊直弼・・・・・・・・・・・・・・・・・・・・72
- イエス・・・・・・・・・・・・・・・・・・・・・・24
- 硫黄島の戦い・・・・・・・・・・・・・・・・94
- イギリス・オランダ間の第一次戦争・・58
- イギリスの産業革命・・・・・・・・・・64
- イギリス・フランス間の植民地戦争・・58
- 異国船打払令・・・・・・・・・・・・・・・・68
- イスラム過激派組織「IS」・・・・・・122
- イスラーム教・・・・・・・・・・・・・・・・34
- イスラーム連盟・・・・・・・・・・・・・・82
- 伊藤博文・・・・・・・・・・・・・・・・・・・・80
- 移民法・・・・・・・・・・・・・・・・・・・・・・86
- イラク戦争・・・・・・・・・・・・・・・・・・116
- イラク復興支援特別措置法・・・・116
- イラン・イラク戦争・・・・・・・・・・106
- イラン核合意離脱・・・・・・・・・・・・106
- イラン革命・・・・・・・・・・・・・・・・・・126
- イリ条約・・・・・・・・・・・・・・・・・・・・74
- 殷王朝・・・・・・・・・・・・・・・・・・・・・・12
- 印紙条例・・・・・・・・・・・・・・・・・・・・64
- インダス文明・・・・・・・・・・・・・・・・10

ウ

- ヴァイキング・・・・・・・・・・・・・・・・40
- ヴァスコ＝ダ＝ガマ・・・・・・・・・・50
- ヴァチカン市国・・・・・・・・・・・・・・88
- ウイグル騒乱・・・・・・・・・・・・・・・・118
- ウィーン議定書・・・・・・・・・・・・・・68
- ヴィクトリア女王・・・・・・・・・・・・70
- ウィルソン大統領・・・・・・・・・・・・82
- ウィルソンの14カ条・・・・・・・・・・84
- ウェストミンスター憲章・・・・・・90
- ヴェルサイユ条約・・・・・・・・・・・・84
- ヴェルダン条約・・・・・・・・・・・・・・38
- ウォーターゲート事件・・・・・・・・104
- ウクライナ危機深刻化・・・・・・・・122
- ウクライナ侵攻・・・・・・・・・・・・・・134
- ウマイヤ朝・・・・・・・・・・・・・・・・・・36
- 厩戸皇子(聖徳太子)・・・・・・・・・・32
- ウラジーミル・プーチン・・・・・・120

エ

- 英仏協商・・・・・・・・・・・・・・・・・・・・78
- 英露協商・・・・・・・・・・・・・・・・・・・・80
- エジソン・・・・・・・・・・・・・・・・・・・・74
- エジプト・トルコ戦争・・・・・・・・70
- エジプト文明・・・・・・・・・・・・・・・・10
- 蝦夷地の開拓・・・・・・・・・・・・・・・・64
- エフゲニー・プリゴジン・・・・・・136
- エボラウイルス・・・・・・・・・・・・・・128
- エマニュエル・マクロン・・・・・・124
- エリザベス女王・・・・・・・・・・・・・・134
- エリツィン・・・・・・・・・・・・・・・・・・112
- エレクテイオン神殿・・・・・・・・・・16

オ

- 黄金の20年代・・・・・・・・・・・・・・・・86
- 欧州合同原子核研究機構（CERN）・・120
- 汪兆銘・・・・・・・・・・・・・・・・・・・・・・92
- 応仁・文明の乱・・・・・・・・・・・・・・50
- 大坂夏の陣・・・・・・・・・・・・・・・・・・56
- 大坂冬の陣・・・・・・・・・・・・・・・・・・56
- 大塩平八郎の乱・・・・・・・・・・・・・・70
- オーストリア継承戦争・・・・・・・・62
- 太田道灌・・・・・・・・・・・・・・・・・・・・50
- 沖縄国際海洋博覧会・・・・・・・・・・104
- 沖縄返還・・・・・・・・・・・・・・・・・・・・104
- 桶狭間・・・・・・・・・・・・・・・・・・・・・・54
- 織田信長・・・・・・・・・・・・・・・・・・・・54
- オタワ会議・・・・・・・・・・・・・・・・・・90
- オックスフォード大学・・・・・・・・44
- オットー1世・・・・・・・・・・・・・・・・40
- 小野妹子・・・・・・・・・・・・・・・・・・・・34
- オミクロン株・・・・・・・・・・・・・・・・132
- 御嶽山噴火・・・・・・・・・・・・・・・・・・122

カ

- カーター・・・・・・・・・・・・・・・・・・・・106
- カール大帝・・・・・・・・・・・・・・・・・・36
- 海軍軍縮条約・・・・・・・・・・・・・・・・86
- カイロ宣言・・・・・・・・・・・・・・・・・・94
- 科学万博つくば'85・・・・・・・・・・・108
- 核拡散防止条約会議・・・・・・・・・・134
- 核不拡散条約・・・・・・・・・・・・・・・・102
- 華国鋒・・・・・・・・・・・・・・・・・・・・・・106
- カストロ・・・・・・・・・・・・・・・・・・・・100

カ
- カノッサの屈辱・・・・・・・・・・・・・・・・42
- カルヴァン派・・・・・・・・・・・・・・・・・52
- カルカッタ国民会議・・・・・・・・・・80
- 川中島の戦い・・・・・・・・・・・・・・・・54
- 冠位十二階・・・・・・・・・・・・・・・・・・34
- 韓国統監府・・・・・・・・・・・・・・・・・・80
- 韓国併合・・・・・・・・・・・・・・・・・・・・80
- 甘粛の回民の反乱・・・・・・・・・・・・64
- 寛政の改革・・・・・・・・・・・・・・・・・・64
- 環太平洋パートナーシップ(TPP)協定・122
- カンダハル自爆テロ・・・・・・・・・118
- ガンディー・・・・・・・・・・・・・・・・・・84
- 関東大震災・・・・・・・・・・・・・・・・・・86
- 樺美智子・・・・・・・・・・・・・・・・・・・100

キ
- 岸信介・・・・・・・・・・・・・・・・・・・・・100
- 北大西洋条約機構(NATO)・・・・・96
- 金日成・・・・・・・・・・・・・・・・・・・・・112
- 金正日・・・・・・・・・・・・・・・・・・・・・114
- 金正恩・・・・・・・・・・・・・・・・・・・・・120
- 金大中・・・・・・・・・・・・・・・・・・・・・114
- 釜泳三・・・・・・・・・・・・・・・・・・・・・112
- キャフタ条約・・・・・・・・・・・・・・・・60
- 九・三〇事件・・・・・・・・・・・・・・・102
- キューバ革命・・・・・・・・・・・・・・・100
- キューバ危機・・・・・・・・・・・・・・・102
- キュリオシティ・・・・・・・・・・・・・120
- 共産党宣言・・・・・・・・・・・・・・・・・70
- 享保の改革・・・・・・・・・・・・・・・・・60
- 享保の飢饉・・・・・・・・・・・・・・・・・62
- 玉音放送・・・・・・・・・・・・・・・・・・・94
- 極東国際軍事裁判・・・・・・・・・・・96
- ギリシア独立戦争・・・・・・・・・・・68
- 義和団事件・・・・・・・・・・・・・・・・・76
- 金印・・・・・・・・・・・・・・・・・・・・・・・24
- 金閣寺・・・・・・・・・・・・・・・・・・・・・48
- 空海・・・・・・・・・・・・・・・・・・・・・・・38

ク
- クーリッジ大統領・・・・・・・・・・・86
- グエン・フー・チョン書記長・・・132
- クラスター爆弾禁止条約・・・・・118
- クレオパトラ・・・・・・・・・・・・・・・・22
- グレタ・トゥンベリ・・・・・・・・・128
- グレナダ侵攻・・・・・・・・・・・・・・・108
- クレルモンの宗教会議・・・・・・・・42
- クローヴィス・・・・・・・・・・・・・・・・30
- 軍人皇帝時代・・・・・・・・・・・・・・・26

ケ
- ケネディ・・・・・・・・・・・・・・・・・・・102
- ケマル・パシャ・・・・・・・・・・・・・・86
- ゲルマン民族・・・・・・・・・・・・・・・28
- ケロッグ・ブリアン条約・・・・・・88
- 原子爆弾・・・・・・・・・・・・・・・・・・・94
- 原水爆禁止世界大会・・・・・・・・・98
- 阮福暎・・・・・・・・・・・・・・・・・・・・・66
- 源平合戦・・・・・・・・・・・・・・・・・・・44
- 憲法十七条・・・・・・・・・・・・・・・・・34
- 建武の新政・・・・・・・・・・・・・・・・・48

コ
- 弘安の役・・・・・・・・・・・・・・・・・・・46
- 航海法・・・・・・・・・・・・・・・・・・・・・58
- 康熙帝・・・・・・・・・・・・・・・・・・・・・58
- 紅巾の乱・・・・・・・・・・・・・・・・・・・48
- 甲午農民戦争・・・・・・・・・・・・・・・76
- 孔子・・・・・・・・・・・・・・・・・・・・・・・12
- 工場法・・・・・・・・・・・・・・・・・・・・・70
- 黄巣の乱・・・・・・・・・・・・・・・・・・・38
- 高速鉄道追突事故・・・・・・・・・・118
- 江沢民・・・・・・・・・・・・・・・・・・・・・110
- 皇帝ナポレオン1世・・・・・・・・・66
- 幸徳秋水・・・・・・・・・・・・・・・・・・・80
- 公民権法・・・・・・・・・・・・・・・・・・・102
- 五・一五事件・・・・・・・・・・・・・・・90
- ゴールドラッシュ・・・・・・・・・・・70
- 五月危機・・・・・・・・・・・・・・・・・・・102
- 胡錦濤・・・・・・・・・・・・・・・・・・・・・116
- 古今和歌集・・・・・・・・・・・・・・・・・40
- 国連平和維持活動(PKO)・・・・・112
- 国際連合・・・・・・・・・・・・・・・・・・・94
- 国際連盟・・・・・・・・・・・・・・・・・・・84
- 黒人奴隷解放宣言・・・・・・・・・・・72
- 国民党・・・・・・・・・・・・・・・・・・・・・88
- 穀物法・・・・・・・・・・・・・・・・・・・・・70
- 古事記・・・・・・・・・・・・・・・・・・・・・36
- コスイギン・・・・・・・・・・・・・・・・・102
- コソボ問題・・・・・・・・・・・・・・・・・114
- 五代十国の戦乱・・・・・・・・・・・・40
- 五・三〇運動・・・・・・・・・・・・・・・86
- 五・四運動・・・・・・・・・・・・・・・・・84
- 国境の壁建設・・・・・・・・・・・・・・・128
- 後鳥羽上皇・・・・・・・・・・・・・・・・・46
- コミンテルン・・・・・・・・・・・・・・・84
- コミンフォルム・・・・・・・・・・・・・96
- コメコン(COMECON)・・・・・・・96
- 米騒動・・・・・・・・・・・・・・・・・・・・・84
- ゴルバチョフ・・・・・・・・・・・・・・・108
- ゴローニン・・・・・・・・・・・・・・・・・68
- コロッセオ・・・・・・・・・・・・・・・・・24
- コロンブス・・・・・・・・・・・・・・・・・50
- コンスタンティヌス帝・・・・・・・28

サ
- 蔡英文・・・・・・・・・・・・・・・・・・・・・124
- 最澄・・・・・・・・・・・・・・・・・・・・・・・38
- 坂本竜馬・・・・・・・・・・・・・・・・・・・72
- 桜田門外の変・・・・・・・・・・・・・・・72
- 鎖国・・・・・・・・・・・・・・・・・・・・・・・56
- サダト大統領・・・・・・・・・・・・・・・108
- サダム・フセイン・・・・・・・・・・・106
- サッチャー保守党内閣・・・・・・・106
- ザビエル・・・・・・・・・・・・・・・・・・・52
- サブプライムローン問題・・・・・118
- サラエボ事件・・・・・・・・・・・・・・・82
- 三・一運動・・・・・・・・・・・・・・・・・84
- 3月革命・・・・・・・・・・・・・・・・・・・70
- 三月革命(ロシア)・・・・・・・・・・・84
- 三国干渉・・・・・・・・・・・・・・・・・・・76
- 三国協商・・・・・・・・・・・・・・・・・・・80
- 三国同盟・・・・・・・・・・・・・・・・・・・74
- 三国防共協定・・・・・・・・・・・・・・・92
- 三十年戦争・・・・・・・・・・・・・・・・・56
- サン=ステファノ条約・・・・・・・74
- 暫定自治協定・・・・・・・・・・・・・・・112
- 三帝協商・・・・・・・・・・・・・・・・・・・74

サ
- 山東第1次出兵·············88
- 三藩の乱················58
- サンフランシスコ会議········94
- サンフランシスコ講和会議·····98

シ
- ジャスティン・トルドー首相····68
- シーボルト···············68
- シーメンス事件············82
- ジェームズ・ワット·········64
- 四月テーゼ···············84
- 七月革命················68
- 七年戦争················62
- 七雄···················20
- 島原の乱················56
- 下関条約················76
- 釈迦···················14
- ジャワ原人···············6
- 上海事変················90
- 上海万博················118
- 十一月革命···············84
- 習近平·················122
- 周口店··················6
- ジュネーブ休戦協定·········98
- ジュネーブ四巨頭会談········98
- シュメール人·············10
- シュレーダー首相··········114
- 首里城火災··············128
- 蒋介石·················88
- 蒸気機関················64
- 正中の変················48
- ジョー・バイデン大統領·····132
- 生類あわれみの令··········58
- 昭和天皇················88
- 昭和天皇崩御············110
- 女王エリザベス1世·········54
- ジョージ・H・W・ブッシュ···110
- ジョージ王戦争············62
- ジョージ・W・ブッシュ·····116
- ジョージ・ワシントン········64
- ジョコ・ウィドド大統領·····128
- ジョンソン··············102
- シリア内戦··············120
- 辛亥革命················82
- 新型コロナウイルス········130
- 新経済政策「ネップ」········86
- 真珠湾攻撃···············94
- 新石器時代(中国)···········8
- 新石器時代(ヨーロッパ)·····10
- 新戦略兵器削減条約········132
- 秦の始皇帝陵·············20
- 清仏戦争················74
- 人民公社···············100
- 推古天皇················32

ス
- スエズ運河···············72
- スエズ運河の国有化········100
- 菅義偉·················130
- 杉田玄白················68
- スノーデン事件···········120
- スペイン継承戦争··········60
- スペイン内戦·············92
- スペインの無敵艦隊·········54
- 世阿弥·················50
- 西安事件················92
- 青函トンネル鉄道が開通·····110
- 靖康の変················44
- 西南の役················74
- 青年トルコ党·············80
- セイロン················96

セ
- セーヴル条約·············84
- 世界産業労働者組合·········78
- 世界的な経済的大恐慌········88
- 関ヶ原の戦い·············54
- 責任内閣制度·············60
- 宣統帝(溥儀)············80
- 双頭の鷲体制············118

ソ
- ソヴィエト区·············88
- ソヴィエト社会主義共和国連邦··86
- ソクラテス···············18
- ゾロアスター教············28
- ソロン··················14
- 孫文···················78

タ
- タージ=マハル············56
- ダイアナ元皇太子妃········114
- 第1回インド国民会議········74
- 第1次五カ年計画···········88
- 第1次国共合作············86
- 第1次サイゴン条約·········72
- 第1回三頭政治············22
- 第1回衆議院議員総選挙······76
- 第1回十字軍の遠征·········42
- 第1次世界大戦············82
- 第1回選挙法改正···········70
- 第1次バルカン戦争·········82
- 第1次ポーランド分割········64
- 第1次マラータ戦争·········64
- 第1次モロッコ事件·········78
- 大化の改新···············34
- 大韓航空機撃墜事件········108
- 大逆事件················80
- 醍醐寺の花見·············54
- 醍醐天皇················38
- 第3次中東戦争···········102
- 第3次ダレイオス1世········14
- 第11回金融·世界経済に関する首脳会合·124
- 大正デモクラシー··········84
- 大正天皇················82
- 大政奉還················72
- 大西洋憲章···············94
- 大仙陵古墳···············28
- 対ソ干渉戦争·············84
- 大東亜共栄圏·············94
- 第2インターナショナル······76
- 第2次五カ年計画···········90
- 第2次国共合作············92
- 第2次中東戦争···········100
- 第2次モロッコ事件·········82
- 大日本帝国憲法············76
- 第2帝政·················72
- 大ブリテン王国············60

タ	太平天国の乱	72
	太平洋安全保障条約（ANZUS）	98
	太平洋戦争	94
	太陽暦	74
	第4次中東戦争	104
	第4共和政	96
	第45回先進国首脳会議	128
	平清盛	44
	大陸横断鉄道	72
	大陸封鎖令	66
	武田信玄	52
	多国籍軍	112
	ダッカ事件	106
	狸親父	54
	田沼意次	62
	ダボス会議	134
	タリバン政権	116
	壇ノ浦の戦い	44
チ	治安維持法	86
	チェコ事件	102
	チェチェン	116
	チェルノブイリ原子力発電所	110
	地下核実験	114
	地下鉄サリン事件	112
	千島樺太交換条約	74
	血の日曜日事件	78
	チャールズ国王	136
	チャレンジャー	110
	中華人民共和国憲法	98
	中華ソヴィエト共和国	90
	中華民国政府	96
	中国共産党	86
	中国国民党	84
	中国同盟会	78
	中ソ不可侵条約	92
	中ソ友好同盟相互援助条約	98
	中尊寺金色堂	44
	張作霖爆殺事件	88
	朝鮮戦争	96
	朝鮮総督府	80
	全斗煥	106
	チリ独立	68
	チンギス・ハーン	46
テ	テキサス独立戦争	70
	テヘラン会談	94
	テリーザ・メイ首相	124
	天安門事件	110
	天下布武	54
	天津条約	74
	天皇機関説問題	90
	天保の改革	70
	天保の大飢饉	70
	天保の打ちこわし	64
	天保の大飢饉	64
ト	東欧革命	110
	東海道新幹線	102
	東京オリンピック	102
	東京オリンピック(2020年)開催決定	120
	東京サミット	106

	同時多発テロ	116
	東南アジア条約機構（SEATO）	98
	東南アジア諸国連合（ASEAN）	102
	徳川家綱	58
	徳川家康	54
	徳川綱吉	58
	徳川吉宗	60
	独ソ不可侵条約	92
	独仏通商条約	88
	独立国家共同体（CIS）	112
	独立戦争	64
ト	ド・ゴール	100
	ドナルド・トランプ	124
	ドミトリー・ムラトフ	132
	豊臣秀吉	54
	トラヤヌス帝	26
	トルーマン=ドクトリン	96
	トルコ・シリア地震	136
	トルコマンチャーイ条約	68
	ドレフュス事件	76
	トロツキー	88
	トンガ海底火山噴火	134
	ナチス政権	90
	ナチス党	88
	ナポレオン法典	66
	南京条約	70
	南京虐殺事件	92
ナ	ナントの勅令	54
	南北戦争	72
	南北朝時代（中国）	32
	二・二六事件	92
	2月革命	70
	ニクソン・ショック	104
	西フランク王国	38
	二十一カ条の要求	82
	日英同盟	78
	日独伊三国同盟	92
	日米安全保障条約	98
	日米紳士協定	80
	日米戦略防衛構想（SDI）協定	110
	日米防衛指針関連法	114
	日米友好通商航海条約	98
	日米和親条約	72
	日露戦争	78
ニ	日韓基本条約	102
	日航ジャンボ機墜落	108
	日清戦争	76
	日ソ共同宣言	100
	日ソ中立条約	94
	日中国交正常化	104
	日中戦争	92
	日中平和友好条約	106
	日朝修好条規(江華条約)	74
	ニホニウム	124
	日本国憲法	96
	日本書紀	36
	ニューイングランド植民地	56
	人間宣言	96
ネ	ネアンデルタール人	8

ネ
- ネルチンスク条約・・・・・・・・・・・・・・58

ノ
- ノートルダム大聖堂火災・・・・・・・128
- 盧武鉉・・・・・・・・・・・・・・・・・・・・・116
- ノルウェー連続テロ・・・・・・・・・・・118

ハ
- ハーディング大統領・・・・・・・・・・・86
- 廃藩置県・・・・・・・・・・・・・・・・・・・74
- 馬英九・・・・・・・・・・・・・・・・・・・・・122
- パキスタン洪水・・・・・・・・・・・・・・134
- バグダード条約機構(METO)・・・・・98
- 朴槿恵・・・・・・・・・・・・・・・・・・・・・120
- 朴正熙・・・・・・・・・・・・・・・・・・・・・102
- バスティーユ牢獄の襲撃・・・・・・・64
- 八・一宣言・・・・・・・・・・・・・・・・・・90
- パナマ運河・・・・・・・・・・・・・・・・・78
- バビロン第一王朝・・・・・・・・・・・・12
- パフレヴィー朝・・・・・・・・・・・・・・86
- バラク・オバマ大統領・・・・・・・・118
- バラク労働党・・・・・・・・・・・・・・・114
- ばら戦争・・・・・・・・・・・・・・・・・・・50
- 原敬・・・・・・・・・・・・・・・・・・・・・・・84
- パリ講和会議・・・・・・・・・・・・・・・84
- パリ条約・・・・・・・・・・・・・・・・・・・64
- パリ不戦条約・・・・・・・・・・・・・・・88
- バルカン軍事同盟・・・・・・・・・・・98
- バルカン同盟・・・・・・・・・・・・・・・82
- パルテノン神殿・・・・・・・・・・・・・・16
- パレスチナ戦争・・・・・・・・・・・・・96
- ハワイ・マウイ島山火事・・・・・・・136
- パン=アフリカ会議・・・・・・・・・・・76
- パン=アメリカ会議・・・・・・・・・・・76
- ハンガリー事件・・・・・・・・・・・・・100
- 阪神・淡路大震災・・・・・・・・・・・112
- 万里の長城・・・・・・・・・・・・・・・・20

ヒ
- 東インド会社・・・・・・・・・・・・・・・54
- 東ティモール・・・・・・・・・・・・・・・114
- 東日本大震災・・・・・・・・・・・・・・118
- 東フランク王国・・・・・・・・・・・・・・38
- 東ローマ帝国・・・・・・・・・・・・・・・32
- ビザンティン建築・・・・・・・・・・・・32
- ビスマルク・・・・・・・・・・・・・・・・・72
- ヒッタイト王国・・・・・・・・・・・・・・・12
- ヒトラー・・・・・・・・・・・・・・・・・・・90
- 卑弥呼・・・・・・・・・・・・・・・・・・・・・26
- 百年戦争・・・・・・・・・・・・・・・・・・48
- 白蓮教徒の乱・・・・・・・・・・・・・・66
- ピューリタン革命・・・・・・・・・・・・56
- 平等院鳳凰堂・・・・・・・・・・・・・・42
- ビルマ戦争・・・・・・・・・・・・・・・・76

フ
- ファショダ事件・・・・・・・・・・・・・・76
- フィデル・カストロ・・・・・・・・・・・124
- フィリッポス2世・・・・・・・・・・・・・18
- フィリピン独立法・・・・・・・・・・・・90
- プーチン・・・・・・・・・・・・・・・・・・114
- フェニキア人・・・・・・・・・・・・・・・12
- フォークランド紛争・・・・・・・・・・108
- 藤ノ木古墳・・・・・・・・・・・・・・・・30
- 藤原京・・・・・・・・・・・・・・・・・・・・34
- 藤原道長・・・・・・・・・・・・・・・・・・42
- フセイン・マクマホン協定・・・・・・82
- 普通選挙法・・・・・・・・・・・・・・・・86
- 仏国寺・・・・・・・・・・・・・・・・・・・・36
- 不服従運動・・・・・・・・・・・・・・・・88
- 部分的核実験停止条約・・・・・・102
- ブラッシーの戦い・・・・・・・・・・・62
- プラヤ=チャクリ・・・・・・・・・・・・・64
- プラユット・チャンオチャ首相・・・・130
- フランク王国・・・・・・・・・・・・・・・34
- フランス・パリ同時多発テロ事件・・122
- フランス・ルイ14世・・・・・・・・・・56
- フランソワ・オランド大統領・・・・120
- フリードリヒ2世・・・・・・・・・・・・・62
- フルシチョフ・・・・・・・・・・・・・・・100
- ブレジネフ・・・・・・・・・・・・・・・・102
- ブレスト=リトフスク講和条約・・・・84
- フレンチ=インディアン戦争・・・・・62
- プロイセン王国・・・・・・・・・・・・・60
- プロイセン=オーストリア戦争・・・72
- プロイセン=フランス戦争・・・・・・72
- 文永の役・・・・・・・・・・・・・・・・・・46
- 文化大革命・・・・・・・・・・・・・・・102

ヘ
- 米議事堂占拠・・・・・・・・・・・・・132
- 平安京・・・・・・・・・・・・・・・・・・・・36
- 米・キューバ国交回復・・・・・・・・122
- 平城京・・・・・・・・・・・・・・・・・・・・36
- 米ソINF全廃条約・・・・・・・・・・・110
- 米中国交正常化・・・・・・・・・・・106
- 米中貿易摩擦・・・・・・・・・・・・・130
- 北京議定書・・・・・・・・・・・・・・・・78
- 北京原人・・・・・・・・・・・・・・・・・・・6
- 北京条約・・・・・・・・・・・・・・・・・・72
- ペスト・・・・・・・・・・・・・・・・・・・・・48
- ベトナム戦争・・・・・・・・・・・・・・102
- ベトナム統一宣言・・・・・・・・・・106
- ベトナム和平協定・・・・・・・・・・104
- ペリー・・・・・・・・・・・・・・・・・・・・72
- ペルー日本大使公邸占拠事件式典・134
- ベル・・・・・・・・・・・・・・・・・・・・・・74
- ペルー独立・・・・・・・・・・・・・・・・68
- ペルシア戦争・・・・・・・・・・・・・・16
- ペルシア帝国・・・・・・・・・・・・・・16
- ベルリン会議・・・・・・・・・・・・・・74
- ベルリン条約・・・・・・・・・・・・・・74
- ベルリンの壁・・・・・・・・・・・・・・102
- ベルリンの壁崩壊・・・・・・・・・・110
- ペレストロイカ・・・・・・・・・・・・・108
- 暴君ネロ・・・・・・・・・・・・・・・・・・24
- 法然・・・・・・・・・・・・・・・・・・・・・・44
- ポエニ戦争・・・・・・・・・・・・・・・・20
- ポーツマス条約・・・・・・・・・・・・・78
- ポーランド分割協定・・・・・・・・・92
- 北爆・・・・・・・・・・・・・・・・・・・・・102
- 北伐・・・・・・・・・・・・・・・・・・・・・88

ホ
- 戊戌の政変・・・・・・・・・・・・・・・・76
- 戊戌の変法・・・・・・・・・・・・・・・・76
- ボストン茶会事件・・・・・・・・・・・64
- ボストンマラソン大会爆破テロ事件・120
- ポズナニ事件・・・・・・・・・・・・・100
- ポツダム宣言・・・・・・・・・・・・・・94

ホ	ポリス･･････････････････14		ヨ	ヨーロッパ連合(EU)･････････112
	ボリス・ジョンソン首相･･････128			吉田茂･････････････････98
	香港の国家安全維持法･･････130			よど号乗っ取り事件････････102
	香港返還･･････････････114		ラ	ライプチヒの戦い････････････68
	本能寺の変････････････54			ラクスマン･･････････････66
マ	マーシャル・プラン･････････96			ラジャパクサ大統領････････134
	マーストリヒト条約･･････････112			ラムセス2世･････････････12
	マチュピチュ････････････50			ランブイエ会議･････････････104
	マッカーサー･･･････････96			リオデジャネイロオリンピック････124
	松平定信･･････････････64		リ	李自成･････････････････56
	マドリード条約･･･････････62			李先念････････････････108
	マラヤ海峡植民地････････72			李登輝････････････････130
	マリア=テレジア････････････62			リーマン・ショック･･･････････118
	マリー・アントワネット･･････････66			琉球王国････････････････50
	マルタ会談･････････････110			劉少奇････････････････100
	マルティン=ルター･･････････52			リンカーン大統領･･････････72
	マレー連合州･････････････76			林則徐････････････････70
	満州国･････････････････90			林彪･･････････････････102
	満州事変･･･････････････90		ル	ルイジアナの植民地化･････58
ミ	ミズーリ協定･････････････68			ルーズベルト大統領････････78
	ミッテラン････････････････108			ルール工業地域･･･････････86
	ミッドウェー海戦････････････94			ルネッサンス･･････････････50
	南アフリカ戦争････････････76		レ	レーガン･･････････････108
	源頼朝････････････････44			レーニン･･････････････････84
	ミャンマー････････････････110			レザノフ･････････････････66
	ミュンヘン会談･･････････････92			レバノン内戦････････････104
	民主・社民・国民新連立内閣発足･118		ロ	労働党･････････････････80
ム	ムガル帝国･････････････52			ロシア軍爆撃機撃墜事件･･･122
	無条件降伏･････････････94			ローマ・グラックス兄弟の改革･22
	無制限潜水艦作戦･･････84			ローマ五賢帝時代････････24
	ムッソリーニ･･････････････86			ローマ帝国･････････････16
	ムハンマド････････････････32			ローラット法････････････84
	文在寅････････････････124			ロカルノ条約････････････86
メ	明治維新･････････････････72			60年安保闘争･････････100
	メイフラワー号･･････････････56			盧溝橋事件････････････92
	名誉革命･････････････58			ロシア・トルコ戦争･･････････68
	メキシコ地震････････････124			ロシア・フランス同盟･･････････76
	メキシコ独立･･････････････68			ロシア連邦下院選挙････････124
	メソポタミア文明･･････････････10			ロッキード事件･････････････106
モ	毛沢東･････････････････90			ロックフェラー･･･････････74
	モスクワオリンピック････････106			ロドリゴ・ドゥテルテ大統領････124
	モスクワ大公国･････････50			ロベスピエール･･････････････66
	モディ首相･････････････128			ロンドン軍縮会議･･････････88
	モリソン号･････････････70			ロンドン万国博覧会･････････72
	森友文書改ざん･･････････126			ロンドン旅客機爆破テロ未遂事件･118
	モンロー教書･････････････68		ワ	ワーテルローの戦い･････････68
ヤ	邪馬台国･････････････26			ワイマール憲法･･････････84
	山中伸弥･････････････120			ワグナー法･･･････････････90
	ヤルタ協定･････････････95			ワシントン会議････････････86
	ヤング案･････････････････88			倭の奴国王････････････24
ユ	ユーラシア経済連合条約････122			ワルシャワ条約･･･････････98
	ユーロ･････････････････114			湾岸戦争･･････････････112
	ユーロ危機深刻化･････････120			
	ユトレヒト条約･･･････････････60			
	尹錫悦大統領･･･････････134			
ヨ	ヨーロッパ共同体(EC)････････102			
	ヨーロッパ経済共同体(EEC)････100			
	ヨーロッパ自由貿易連合(EFTA)･100			
	ヨーロッパ石炭鉄鋼共同体(ECSC)･98			

[企 画・編 集]　浅井 精一
　　　　　　　　佐々木 秀治
　　　　　　　　本田 玲二
　　　　　　　　大桑 康寛
　　　　　　　　竹田 政利

[Ｄｅｓｉｇｎ・制作]　CD,AD：玉川 智子
　　　　　　　　　　　D：石嶋 春菜
　　　　　　　　　　　D：里見 遥
　　　　　　　　　　　D：垣本 亨

楽しく学ぼう！
日本と世界の歴史年表 増補改訂版

2024年1月20日　第1版・第1刷発行

著　者　　歴史学習研究会（れきしがくしゅうけんきゅうかい）
発行者　　株式会社メイツユニバーサルコンテンツ
　　　　　　代表者　大羽 孝志
　　　　　〒102-0093 東京都千代田区平河町一丁目1-8
印　刷　　シナノ印刷株式会社

◎「メイツ出版」は当社の商標です。
●本書の一部、あるいは全部を無断でコピーすることは、法律で認められた場合を除き、
　著作権の侵害となりますので禁止します。
●定価はカバーに表示してあります。
Ⓒカルチャーランド,2007,2012,2016,2019,2024. ISBN978-4-7804-2860-5　C8020　Printed in Japan.

ご意見・ご感想はホームページから承っております。
ウェブサイト　https://www.mates-publishing.co.jp/

企画担当：折居かおる／清岡香奈

※本書は 2019 年発行の『楽しく学ぼう！日本と世界の歴史年表 改訂新版』の内容に
　加筆・修正を行った増補改訂版です。